AQA
GCSE french
Grammar Workbook

Marian Jones
Gill Maynard

OXFORD

Nouns and determiners

Gender

1 ★ Decide whether each of the following nouns is masculine or feminine and write in *le* or *la*. Check the gender in a dictionary if you are not sure.

a _____ maison

b _____ collège

c _____ ville

d _____ télévision

e _____ supermarché

f _____ matin

2 ★★ Underline one or two nouns in each list which have a different gender from the others.

a grand-mère   sœur   tante   cousine   frère

b dessin   sport   biologie   anglais   informatique

c tête   dos   jambe   pied   main

d natation   football   roller   ski   judo

e salon   cuisine   salle à manger   chambre   garage

3 ★★ Using the typical endings, decide whether each of the following nouns is masculine or feminine and write in *le* or *la*.

a _____ café

b _____ question

c _____ casquette

d _____ chômage

e _____ réunion

f _____ taille

4 ★★ Use a dictionary to check the genders of the nouns below and underline the one in each list which does not follow the typical endings pattern.

a voyage   stage   plage   ménage   courage

b château   eau   bureau   oiseau   chapeau

c rentrée   arrivée   randonnée   année   musée

5 ★ Underline the masculine nouns in the box in blue and the feminine nouns in red. On a separate sheet of paper, list the nouns in pairs.

> copine   vendeuse   collégien
> Français   musicienne   ami   directeur
> collégienne   musicien   vendeur   directrice
> Française   amie   copain

6 ★★★ Study the sentences in the box and write the French translation for the English words **a−h**.

> Où est le poste de police, s'il vous plaît?
> Nous avons lu le livre en classe.
> Tu as visité la tour Eiffel?
> Les fraises coûtent trois euros la livre.
> Il y a trois candidats pour le poste.
> Tu aimes le Tour de France?
> L'euro n'a pas encore remplacé la livre sterling.
> On achète des timbres à la Poste.

a the tour   _____

b the tower   _____

c the job   _____

d the police station _____

e the post office   _____

f the pound (money) _____

g the pound (weight) _____

h the book   _____

Definite and indefinite articles

TIP

- The determiner changes depending on whether a noun is masculine or feminine, singular or plural.
- In the singular, the definite article 'the' is *le/l'* (masculine) or *la/l'* (feminine). *L'* is used before a vowel or a silent *h*.
- The indefinite article 'a' is *un* (masculine) or *une* (feminine).

1 ★ Complete the chart.

	the	a
a	le chien	
b		une mère
c	l'homme	
d	la famille	
e		un enfant
f	la tante	

TIP

- In the plural, the article is *les* (the) or *des* (some).

2 ★ Give the plural of these nouns. Make sure you use the correct articles.

a un cinéma _____

b l'église _____

c le musée _____

d une discothèque _____

e l'hôtel _____

TIP

- In French, the article cannot usually be left out as it can be in English.

3 ★★ Underline the articles in these sentences. Then translate the sentences into English.

a Je vais à l'école à pied.

_____

b La vie familiale n'est pas facile.

_____

c Elle a les cheveux blonds.

_____

d J'aime les maths mais je déteste la géographie.

_____

e Nous prenons le petit déjeuner ensemble.

_____

f Les oranges contiennent des vitamines importantes.

_____

TIP

- In French the article is always used with names of countries. Most countries are feminine.

4 ★★ Complete the sentences with the correct form of the article.

a J'ai visité _____ France.

b J'adore _____ Espagne.

c _____ Chine est un pays très intéressant.

d _____ États-Unis sont beaux.

e _____ Angleterre est une île.

TIP

- In French, no article is used in front of jobs.

5 ★★ Complete the sentences with the French noun.

a Je voudrais devenir _____ (*a journalist*)

b Mon grand-père est _____ (*an engineer*)

c Ma mère est _____ (*a vet*)

d Mon frère veut devenir _____ (*a doctor*)

e Ma sœur travaille comme _____ (*a waitress*)

6 ★★★ Translate these sentences into French on a separate sheet of paper, taking care over articles.

a The girls have black hair and brown eyes.

b I don't like apples but I love strawberries.

c I'd like to visit Italy because I'm interested in history.

d I like swimming but I prefer cycling and judo.

e I have lunch at school with friends.

f My father is a teacher but I'd like to become a lawyer.

Singular and plural forms

TIP

- Most French nouns add –s to form the plural. Nouns ending in –s, –x or –z stay the same.

1 ★ Complete the chart.

	Singular	Plural
a	un magasin	des
b	une	des voitures
c	le corps	les
d	la	les voix
e	l'oreille	les
f	le	les pays
g	l'	les écoles

TIP

- Nouns ending in –al change this to –aux to form the plural. Nouns ending in –eu, –eau or –ou add –x to form the plural.

2 ★★ Write the plural of these nouns.

a le château   les _____

b le genou   les _____

c l'animal   les _____

d l'oiseau   les _____

e le gâteau   les _____

f le cheval   les _____

TIP

- Occasionally French uses a singular noun where English uses a plural, or the other way round.

3 ★★★ Complete each sentence with a noun from the box. Write the English meaning of the noun you have chosen at the end of the sentence.

a Au bureau elle porte un _____ noir.
(_____)

b J'ai passé des _____ formidables au Maroc. (_____)

c Pour être en bonne forme il faut manger beaucoup de _____. (_____)

d Dans ma région, les _____ publics ne sont pas bons. (_____)

e Au collège je trouve les _____ très intéressantes. (_____)

f Mon sport préféré, c'est l'_____.
(_____)

| sciences   transports   athlétisme   pantalon |
| fruits   vacances |

4 ★★★ Complete the following sentences with plural forms of the nouns in brackets. Then translate the sentences into English.

a Les _____ mangent beaucoup de _____ et de _____. (Français, fruit, légume)

b Les _____ peuvent provoquer des _____ allergiques. (noisettes, réaction)

c Les _____ vendent les _____ à bas _____. (supermarché, produit, prix)

d Les _____ qui boivent trop risquent d'avoir des _____ de santé. (jeune, problème)

e Les _____ et les _____ ne coûtent pas cher. (pomme de terre, pâte)

f Dans toutes les _____ il y a des _____ et des _____ pour les _____. (ville, hôtel, restaurant, touriste)

g J'ai passé deux _____ chez des _____ qui habitent aux _____-Bas. (mois, ami, Pays)

h Mes deux _____ adorent les _____, surtout les _____. (sœur, animal, cheval)

The partitive [de + noun]

TIP

- Use *du*, *de la*, *de l'* or *des* before a noun to say 'some' or 'any'.

1 ★ Complete the following phrases with the correct form of *du*, *de la*, *de l'* or *des*. Check genders in a dictionary if you are uncertain.

a _____ café   b _____ eau

c _____ limonade   d _____ bouteilles

e _____ fromage   f _____ pâtes

g _____ salade   h _____ jus d'orange

i _____ coca   j _____ bière

2 ★★ Complete the description of a French family meal by writing in *du*, *de la*, *de l'* or *des*.

D'abord, on a mangé _____ radis avec _____ sel et

_____ beurre. Et _____ pain frais, bien sûr! Ensuite,

on a mangé _____ bœuf avec _____ frites et _____

haricots verts. Puis, il y avait _____ salade, et après,

_____ fromage. Pour terminer, on a mangé _____

fruits: _____ abricots, _____ pêches et _____ raisin.

On a bu _____ eau minérale et _____ vin.

TIP

- After a negative, just use *de* (*d'* before a vowel).

3 ★★ One guest is not enjoying the meal. Complete the sentences with the correct word for 'some'.

a Du pain? Non, je ne veux pas _____ pain.

b De la viande? Je suis végétarien, je ne mange pas

_____ viande.

c De l'eau minérale? Je ne bois jamais _____ eau minérale.

TIP

- When a plural adjective comes in front of a plural noun, just use *de* e.g. *de bons gâteaux*.

4 ★★ Rewrite the following phrases, putting the adjective in front of the noun and adding agreements.

a des yeux (grand) _____

b des photos (beau) _____

c des problèmes (gros) _____

d des amis (nouveau) _____

5 ★★★ Complete the passages with the correct form of *du, de la, de l', des* or *de*.

Pour un petit déjeuner équilibré, choisissez de

préférence _____ céréales avec _____ lait et _____

fruits frais, mais n'ajoutez pas _____ sucre. Prenez

aussi _____ pain grillé avec _____ confiture ou _____

miel. Ne mangez pas _____ croissants, qui contiennent

_____ matières grasses.

Buvez _____ jus de fruits et _____ thé vert. Ne prenez

pas _____ café.

6 ★★★ Translate these sentences into French.

a Have you any hot chocolate? I don't want tea.

b I bought some fruit and cheese at the market.

c I don't eat fish.

d There are fruit juices and mineral water for people who don't drink coffee.

e I made a salad with ham, eggs, tomatoes, green beans and olives. With fresh bread, it's delicious!

Adjectives

Agreement of adjectives

1 ★ Circle the correct adjective in each sentence.

a Ma meilleur / meilleure amie est grand / grande.

b Elle a les cheveux brune / bruns et longue / longs.

c Mes parents sont actifs / actif et très organisés / organisé.

d Mon père est têtu / têtue et très déterminé / déterminés.

e Ma famille est bavards / bavarde.

2 ★★ Complete the following passage by adding endings where necessary.

Pendant les grand___ vacances, j'ai rendu visite à ma correspondante français___, qui habite dans un petit___ village en Bretagne. La région est très joli___, car il y a des plages magnifique___. J'ai fait une excursion inoubliable___ dans une petit___ île sauvage___.

3 ★★ Complete the sentences with the feminine form of the adjective given.

a Julien est sportif; Léa est _____.

b Kévin est heureux; sa famille est _____.

c Il est ambitieux et sa sœur est _____.

d Le voisin est gentil, et sa femme est _____.

e Le pain est bon et la soupe est _____.

4 ★★ Complete the phrases with the masculine and feminine plural of the adjective in brackets.

a les _____ vins; les _____ bières (*bon*)

b les garçons _____ ; les filles _____ (*ambitieux*)

c les collants _____ ; les chaussettes _____ (*blanc*)

d les parents _____ ; les mères _____ (*sportif*)

e les gens _____ ; les personnes _____ (*heureux*)

5 ★★ Complete the chart.

Masc sing	Masc sing before a vowel	Fem sing	Masc pl	Fem pl
beau	bel	belle		
nouveau	nouvel			nouvelles
vieux	vieil			

6 ★★ Complete the following phrases.

a a beautiful house: une _____ maison

b an old castle: un _____ château

c the New Year: le _____ An

d the new pupils: les _____ élèves

e a beautiful place: un _____ endroit

f an old man: un _____ homme

g a new computer: un _____ ordinateur

h an old town: une _____ ville

Position of adjectives

- Most adjectives in French go after the noun which they describe.

1 ★ Underline the adjective in each phrase, then translate the phrase into English.

a les yeux bleus _____

b une fille indépendante _____

c un acteur américain _____

d des disputes familiales _____

e une famille heureuse _____

2 ★★ Translate these phrases into French. The adjectives you need are in the box below, but you will need to make them agree.

a an English actress: une _____

b a shy boy: un _____

c the lazy girls: les _____

d two younger brothers: deux _____

e an older sister: une _____

paresseux   cadet   aîné   anglais   timide

- Some common adjectives come **before** the noun.

3 ★ Underline the adjectives in the passage below.

A Noël, j'ai reçu un nouveau portable, un grand poster, un bon livre sur les vieilles voitures, un beau DVD et le dernier CD de *Coldplay*. Ma petite sœur a reçu un joli sac, un gros pull et le premier CD du jeune Rod Stewart, mais aussi un très mauvais jeu vidéo.

4 ★★ Fill in the gaps with a suitable adjective which goes in front of the noun. Remember to make the adjectives agree.

Nous cherchons une b_____ maison avec une

g_____ cuisine. Nous préférons une

v_____ maison avec un j_____

p_____ jardin dans un b_____ quartier

de la ville. Elle doit avoir au moins trois g_____

chambres pour nos j_____ enfants. Nous

comptons rénover les v_____ pièces et installer

deux n_____ salles de bains.

- Where there is more than one adjective describing a noun, each adjective goes in its usual position. If there are two adjectives after the noun, they are linked with *et*.

5 ★★ Complete the following sentences using the adjectives in brackets. Think carefully about position and agreements.

a Elle a mis sa _____ robe _____ pour aller à la fête. (*nouveau, bleu*)

b Nous avons deux _____ chats _____ et _____. (*petit, noir, blanc*)

c Ma _____ amie _____ s'appelle Amélie. (*meilleur, français*)

d J'ai acheté un _____ sweat _____ et une _____ écharpe _____ sur eBay pour 2€ seulement. (*beau, neuf, beau, neuf*)

e On apprécie la _____ cuisine _____. (*bon, italien*)

6 ★★★ Translate the following phrases into French.

a an ambitious young man

_____

b two very active old ladies

_____

c long straight hair

_____

d a difficult and unhappy childhood

_____

e good family relationships

_____

f bad American films

_____

g a long and tiring journey

_____

Comparative adjectives

- To say 'more ... than' in French, use *plus ... que*.
- To say 'less than', use *moins ... que*.

1 ★ Fill in the gaps with *plus* or *moins* as appropriate.

a Le bus est _____ cher que le taxi.

b Le métro est _____ pratique que la voiture.

c Le tramway est _____ économique que le taxi.

d La marche à pied est _____ rapide que le vélo.

e La voiture est _____ confortable que la moto.

TIP

- To say 'as ... as ...' , use *aussi ... que*.
- To say 'not as ... as ...', use *pas si ... que*.

2 ★★ Fill in the gaps with *aussi* or *si* and the adjective in French.

a Julien est _____ que son père. (*as tall as*)

b Noé n'est pas _____ que sa sœur (*not as clever as*)

c Mon frère n'est pas _____ que moi. (*not as sporty as*)

d Mon professeur est _____ que mes parents. (*as old as*)

e Mes copains ne sont pas _____ que moi. (*not as ambitious as*)

TIP

- In a comparative sentence, the adjective agrees with the noun it refers to.

3 ★★ Circle the endings on the adjectives and write whether they are masculine or feminine, singular or plural.

a Les maths sont plus intéressantes que le sport.

_____

b La musique est aussi importante que le dessin.

_____

c La géographie n'est pas si passionnante que l'histoire. _____

d Les langues étrangères sont moins difficiles que la physique. _____

e Le français est plus compliqué que l'anglais.

_____

TIP

- The comparative of *bon* (good) is *meilleur* (better).
- The comparative of *mauvais* (bad) is *pire* (worse). However, *moins bien* (less good) is normally used instead of *pire*.

4 ★★ Choose the correct form of the adjective in the sentences below and underline it.

a Les fruits sont meilleur / meilleurs que le fast-food.

b Une banane est meilleur / meilleure qu'un yaourt.

c Les frites sont pire / moins bien que les chips.

d Les boissons gazeuses ne sont pas si bons / bonnes que les jus de fruits.

e Les biscuits sont aussi mauvais / mauvaises que les gâteaux.

5 ★★★ Make up a sentence following the same pattern for each of the following groups of words. Use all four comparative forms: 'more ... than', 'less ... than', 'as ... as' and 'not as ... as'.

a les films comiques, les dessins animés, amusant

b la télévision, la radio, bon

c les jeux vidéo, les DVD, populaire

d les émissions de sport, les feuilletons, passionnant

e les émissions de télé-réalité, les jeux, intéressant

6 ★★★ Translate the following sentences into French.

a Football is more interesting than rugby.

b The weather in England is worse than in France.

c The last James Bond film was better than the others.

d Young people are often more creative than adults.

e Horror films are less good on television than in the cinema.

Superlative adjectives

- To say 'the most …' or 'the least …' use *le/la/les* with *plus* or *moins* and an adjective.

1 ★ Complete each sentence with a phrase from the box.

a Le snooker est le sport _____.

b L'Everest est la montagne _____.

c La physique et la chimie sont les matières

_____.

d Ma cousine est la fille _____.

e C'est le film _____
de Johnny Depp.

> la moins sportive   les plus intéressantes
> le moins dangereux   la plus haute   le plus récent

2 ★★ Complete the following phrases with the superlative of the adjective in brackets, taking care over agreements. Then translate the phrases into English.

a le groupe _____
(*plus – créatif*)

b les émissions _____
(*moins – populaire*)

c la célébrité _____
(*plus – aventureux*)

d les spectateurs _____
(*moins – satisfait*)

e la publicité _____
(*plus – original*)

f les jeux _____
(*moins – intéressant*)

- To say 'the best' use *le meilleur / la meilleure / les meilleur(e)s*.
- To say 'the worst' use *le pire / la pire / les pires*.
- Both go before the noun they describe.

3 ★★ Complete the phrases, taking care over agreements.

a the best film: le _____ film

b the best special effects: les _____ effets
                    spéciaux

c the worst actor: le _____ acteur

d the worst music: la _____ musique

e the best holidays: les _____ vacances

4 ★★★ Translate these phrases into French. The words you need are in the box.

a the strongest superhero

_____

b the most charming heroine

_____

c the most ferocious monster

_____

d the most impressive explosion

_____

e the most powerful villain

_____

> le monstre   le super héros   le super méchant
> l'héroïne   une explosion   féroce   puissant
> fort   charmant   impressionnant

Possessive adjectives

TIP
- A possessive adjective agrees with the noun which follows it.

1 ★ Circle the correct possessive adjective in the following sentences.

a J'habite avec mon / ma / mes mère.

b Je discute avec mon / ma / mes grand-père.

c Je sors avec mon / ma / mes copains.

d Je joue avec mon / ma / mes chien.

e Je parle avec mon / ma / mes sœurs.

TIP
- Possessive adjectives indicate who something belongs to.

2 ★★ Complete the following sentences with the correct possessive adjective from the brackets.

a Il aide _____ père. (*son, sa, ses*)

b As-tu _____ sandwichs? (*ton, ta, tes*)

c Nous adorons _____ chat. (*notre, nos*)

d Rangez _____ affaires! (*votre, vos*)

e Les filles vont en ville avec _____ mère. (*leur, leurs*)

f Anna cherche _____ clefs. (*son, sa, ses*)

g Vous avez _____ passeport? (*votre, vos*)

h Ils sortent avec _____ amis. (*leur, leurs*)

i Nous allons chez _____ cousins. (*notre, nos*)

j Les parents ont un bon rapport avec _____ enfants. (*leur, leurs*)

TIP
- *Son, sa, ses* can mean either 'his' or 'her'. Use *son* before a masculine singular noun, *sa* before a feminine singular noun and *ses* before a plural noun.

3 ★★ Translate into French

a his mother _____

b her uncle _____

c his friends _____

d her room _____

e his clothes _____

TIP
- If a feminine noun starts with a vowel, use *mon/ton/son* instead of *ma/ta/sa*.

4 ★★ Translate into French.

a my girlfriend _____ amie

b her plate _____ assiette

c his attitude _____ attitude

d my team _____ équipe

e your opinion _____ opinion

5 ★★★ Complete the following passages with the correct form of the appropriate possessive adjectives.

a Léa s'entend bien avec _____ frères, mais elle se dispute souvent avec _____ parents. _____ mère n'aime pas _____ amis et _____ père critique _____ vêtements. Mais _____ frère aîné l'aide avec _____ devoirs, et le cadet aime _____ CD. Les trois enfants pensent que _____ parents sont trop sévères.

b Lundi, j'ai fait une sortie désastreuse au musée avec _____ classe. Dans le car, j'ai laissé tomber _____ chips et Jérémie a cassé _____ bouteille de limonade. Chloé et Paul ont téléphoné à _____ copain et le prof a confisqué _____ portables. À midi, nous avions faim, mais _____ sacs et _____ sandwichs étaient dans le car. Finalement _____ prof a perdu _____ porte-monnaie.

6 ★★★ Translate the following sentences into French.

a Have you got your homework? (*vous*)

b My brother is listening to music in his bedroom.

c Your friends have phoned their parents.

d Your friends are not in their classroom.

e Our grandmother says that her TV doesn't work.

Demonstrative, interrogative and indefinite adjectives

Demonstrative adjectives

TIP

- Use the demonstrative adjective to say 'this ...', 'that ...', 'these ...' or 'those ...'
- Masculine singular: *ce* (*cet* before a vowel).
- Feminine singular: *cette*.
- Masculine or feminine plural: *ces*.

1 ★ Complete the following phrases with the correct form of *ce, cet, cette* or *ces*.

a _____ gâteau   **b** _____ sauce

c _____ plats   **d** _____ escargot

e _____ omelette   **f** _____ menu

2 ★★ Complete the advertisements with the correct form of the demonstrative adjective.

a Mmm, j'adore _____ confiture. Et _____ week-end, elle coûte moins cher! Ne manquez pas _____ offre spéciale!

b Voulez-vous être aussi riche que _____ homme ou que _____ femme? _____ livre vous explique tout!

c _____ été, profitez du beau temps avec _____ crème solaire! _____ produit est recommandé par tous les médecins!

TIP

- To distinguish between 'this ...' and 'that ...', add *-ci* or *-là* after the noun.

3 ★★ Complete the following sentences.

a Je n'aime pas _____ (*that restaurant*)

b Tu veux goûter _____? (*this cheese*)

c _____ coûtent plus cher. (*those sausages*)

d _____ sont plus frais. (*these eggs*)

e _____ vient d'une ferme bio. (*this meat*)

Interrogative adjectives

TIP

- The French word for 'which' or 'what' is *quel, quelle, quels,* or *quelles.* It agrees with the noun it describes.

4 ★★ Complete the sentences with the correct form of *quel, quelle, quels,* or *quelles* .

a _____ heure est-il?

b _____ temps fait-il?

c _____ sont tes matières préférées?

d Tu pratiques _____ sports?

e De _____ couleur sont tes cheveux?

Indefinite adjectives

TIP

- The French word for 'all' is *tout, toute, tous* or *toutes.*
- It is an adjective and agrees with the noun it describes.
- Note: the masculine plural is *tous.*

5 ★★ Underline the correct form of *tout* and translate the phrases into English.

a tout / toute la famille _____

b tous / toutes mes amis _____

c tous / toutes les matières _____

d tout / toute le monde _____

e tout / tous les jours _____

TIP

- *Chaque* (each, every) is only used with singular nouns and does not need an agreement.
- *Quelques* (a few, some) is only used with plural nouns.

6 ★★ Translate the following phrases into French.

a every year _____

b every week _____

c every child _____

d a few friends _____

e a few days _____

Adverbs

Regular and irregular adverbs

TIP

- Adverbs indicate how something is done. In English, adverbs usually end in –ly. In French, most adverbs are formed by adding –*ment* to the feminine singular form of an adjective.

1 ★★ Complete the chart by writing in the feminine adjectives and the corresponding adverbs.

	Adjective (masc sing)	Adjective (fem sing)	Adverb
a	spécial	spéciale	spécialement
b	régulier		
c	lent		
d	sérieux		
e	doux		
f	exact		

TIP

- If the masculine singular adjective ends in a vowel, add –*ment* to this form to make an adverb.

2 ★★ Write the adverbs below in French. The adjective is given in brackets each time.

a really _____ (*vrai*)

b politely _____ (*poli*)

c absolutely _____ (*absolu*)

d easily _____ (*facile*)

e extremely _____ (*extrême*)

f incredibly _____ (*incroyable*)

TIP

- Some adjectives are slightly irregular.

3 ★★ Choose an appropriate adverb from the box below to complete the following sentences.

a Elle veut gagner une médaille, donc elle s'entraîne

_____

b L'athlétisme me plaît _____

c J'ai tout calculé très _____

d Cet athlète parle _____ plusieurs langues étrangères.

e Il n'a pas bien compris, alors il a répondu

_____.

confusément énormément couramment
précisément constamment

TIP

- Some adverbs are very irregular. The French adverb meaning 'well' is *bien* and 'badly' is *mal*.

4 ★★ Complete the following sentences with adverbs from the box.

a Cet athlète est rapide; il court _____.

b Il a eu mal à l'estomac parce qu'il avait

_____ mangé.

c Je suis déçu, car l'équipe joue _____ aujourd'hui.

d L'entraîneur a parlé _____ avec les reporters.

e Félicitations! Vous avez _____ joué!

f Ça suffit! J'en ai _____ entendu.

trop gentiment assez vite bien mal

TIP

- An adverb can be used to give more force to an adjective or another adverb.

5 ★★★ Translate the following sentences into French, using adverbs from the previous activities.

a My uncle drove much too fast.

b I am absolutely certain that this sport is really dangerous.

c The national team played extremely well.

d The training is incredibly hard.

Comparative and superlative adverbs

Comparative adverbs

TIP

- Adverbs form the comparative in the same way as adjectives, using *plus ... que, moins ... que, aussi ... que* and *pas si ... que*.

1 ★★ **Choose an appropriate adverb from the box to complete the following sentences.**

a Vous parlez trop fort; parlez plus

_____ s'il vous plaît.

b Il marche aussi _____ qu'une tortue.

c J'ai beaucoup de travail, donc je vais moins

_____ à la salle de gym.

d Léo travaille plus _____ que Martin.

e Elle a réussi _____ et elle a gagné la médaille d'or.

f J'ai répété la question plus _____.

| sérieusement   lentement   poliment   doucement |
| brillamment   régulièrement |

TIP

- To say 'better than', use *mieux que* and to say 'worse than' use *plus mal que*.

2 ★★ **Complete the following sentences.**

a Mon père chante _____ Elton John. (*better than*)

b J'étais malade, mais je me sens _____ maintenant. (*better*)

c Tu danses _____ moi! (*worse than*)

3 ★★★ **Translate the New Year resolutions into French.**

a I'm going to do my homework more regularly.

b I'm going to answer my teachers more politely.

c I'm going to concentrate better in class.

Superlative adverbs

TIP

- Adverbs form the superlative with *le plus ...* or *le moins ....* No agreements are needed.

4 ★★ **Fill in the gaps in the description below with appropriate superlative adverbs from the box.**

Nathalie a battu tous les records!

Ella a couru _____.

Elle a sauté _____.

Elle a nagé _____.

Cette fille a toujours travaillé mieux que les autres:

elle s'est entraînée _____.

et elle est sortie _____.

dans les discothèques. Et aujourd'hui,

elle a souri _____.

| le plus loin   le plus sérieusement   le moins souvent |
| le plus vite   le plus fièrement   le plus rapidement |

TIP

- The superlative of the adverb *bien* (well) is *le mieux* (best). The superlative of *mal* (badly) is *le plus mal* (the worst).

5 ★★ **Complete the following sentences.**

a Dans le match hier, le gardien de but a joué

_____. (*worst*)

b Il y a une émission où on cherche la célébrité qui

danse _____. (*best*)

c Chaque semaine, le candidat qui danse

_____ est éliminé. (*worst*)

d Dans ma classe, c'est Julien qui travaille

_____. (*best*)

6 ★★★ **Translate the following sentences into French. You will need to use both comparative and superlative adverbs.**

a I play tennis better than my brother, but my sister plays best.

b The woman drove fast, the thief drove faster, but James Bond drove fastest.

c I listen to the radio more often now, but I listen to CDs most often.

d The person who shouts loudest is usually the person who understands least well.

Interrogative adverbs and common adverbial phrases

TIP

- Interrogative adverbs introduce a question. The most common ones are *comment* (how), *combien* (how much/many), *quand* (when) and *où* (where).

1 ★★ Complete the following sentences with *comment, combien, quand* or *où*.

a Tu es allé _____ hier soir?

b Et _____ était le match?

c Thierry a marqué _____ de buts?

d Et Théo, il a joué _____?

e Le prochain match, c'est _____?

f _____ aura-t-il lieu?

g Les billets coûtent _____?

TIP

- An adverb can be a single word or a phrase. Many adverbs indicate when, how or where things happened.

2 ★★ Give the English meanings of the adverbs of place listed below. Then choose a suitable adverb from the list to complete each of the following sentences.

dehors _____   dedans _____

ici _____   là-bas _____

en haut _____   en bas _____

a Quel paquet énorme! Qu'est-ce qu'il y a _____?

b C'est une maison typique, avec un salon _____ et trois chambres _____.

c Entrez dans le café! Je travaille _____ depuis quelques mois.

d Quand il pleut, les enfants ne peuvent pas jouer _____.

e Regardez _____! C'est un arc-en-ciel.

TIP

- Many adverbs indicate when something happened.

3 ★★ Give the French word or phrase for the following adverbs of time.

a today   a_____
b yesterday   h_____
c tomorrow   d_____
d now   m_____
e soon   b_____
f later   p_____
g before   a_____
h afterwards   a_____
i first of all d_____
j then   p_____
k next   e_____
l for a long time l_____
m immediately   t_____
n suddenly   s_____
o as soon as possible a_____
p always   t_____

TIP

- Adverbs can make your language more interesting.

4 ★★★ Add adverbs of time, manner and place to the following sentences.

a J'ai fait mes devoirs.

_____

b On est allés au café.

_____

c Nous sommes rentrés à la maison.

_____

5 ★★★ Translate the following sentences into French.

a I have a lot of friends here now.

b First I always watch TV downstairs in the living-room.

c Then I usually go upstairs to do my homework.

d Today I'm playing well but I'll soon be too tired.

Quantifiers and intensifiers

- Words like *très, assez, peu* can be used to give extra force to adjectives and adverbs.

1 ★★ Underline the adverb which intensifies the meaning in these phrases. Then translate the phrases into English.

a très facile _____

b assez amusant _____

c trop dangereux _____

d beaucoup plus difficile

_____

e si mauvais _____

f tellement beau _____

g de plus en plus intéressant

_____

h de moins en moins vite

_____

i peu cher _____

j bien content _____

2 ★★ Choose a phrase from the list above to complete each of the following sentences.

a Ce film devient _____.

b Le saut à l'élastique est _____.

c Je suis _____ de mes bonnes notes en anglais.

d Le cheval est fatigué, il court

_____.

e Le paysage était _____ que j'ai pris des photos.

f Cette année, le travail est _____ qu'avant.

- Many adverbs ending in *–ment* are also used to intensify the meaning of an adjective or another adverb.

3 ★★ Underline the adverb which intensifies the meaning in the following sentences.

a Il est complètement fou.

b Il est strictement interdit de fumer dans le restaurant.

c Mon copain skie incroyablement bien.

d Le soir, la ville est relativement calme.

e Je me sens vraiment malade aujourd'hui.

f Mon frère est extrêmement têtu.

4 ★★ Translate the following phrases into French.

a extremely complicated

_____

b fairly interesting

_____

c relatively intelligent

_____

d really tired

_____

e completely crazy

_____

5 ★★★ Add a suitable quantifier or intensifier to the sentences below.

a Il fait _____ chaud aujourd'hui.

b Mon village est _____ petit.

c La plage était _____ belle.

d Les devoirs sont _____ difficiles maintenant.

e Le chauffeur de car conduit _____ prudemment.

f Je parle _____ bien français.

g Nous mangeons _____ tard le soir.

h Mes parents me comprennent _____ bien.

Revision of nouns and adjectives

1 ★ Underline the noun in each list which has a different gender from the others.

a rue   pont   place   ville   gare

b parking   bus   tramway   métro   voiture

c équitation   escalade   natation   judo   gymnastique

d fruit   beurre   viande   riz   légume

e jean   casquette   chemisier   pantalon   T-shirt

2 ★★★ Complete the following sentences with *le, la, l', les, un, une, du, de la, de l', des* or no article, as appropriate.

a Après _____ examens, je voudrais devenir _____ infirmière.

b On a mangé _____ poisson avec _____ frites et _____ ketchup.

c J'ai visité _____ Belgique et _____ Allemagne avec _____ famille de mon ami.

d Je n'aime pas _____ films d'horreur; je préfère _____ comédies.

e _____ matin, je bois _____ café et _____ eau minérale; je ne bois pas _____ thé.

3 ★★ Translate the following phrases into French.

a your uncle and his children

_____

b my house and my garden

_____

c our parents and their friends

_____

d his aunt and her son

_____

e my friend Anne and our families

_____

4 ★★★ Complete the following sentences with the correct form of the adjectives in brackets.

a Ma correspondante _____ habite dans un _____ village dans une très _____ région. (*français, petit, joli*)

b J'habite dans une maison _____ dans une _____ ville _____. (*neuf, grand, anglais*)

c Dans la _____ ville il y a des rues _____ qui sont très _____. (*vieux, étroit, pittoresque*)

d Pour les touristes _____ il y a des musées _____ et une _____cathédrale. (*étranger, intéressant, beau*)

e Pour les jeunes, il y a un stade _____ et une _____ discothèque avec de la _____ musique. (*moderne, nouveau, bon*)

f Mais les transports _____ sont très _____. (*public, mauvais*)

5 ★★ Complete the following passage with the correct form of *ce, quel* or *tout*.

"Q_____ film veux-tu voir c_____week-end? C_____ film d'action, peut-être? ou c_____ comédie romantique?"

"T_____ c_____ films sont assez mauvais. Mais c_____ concert est bon."

"Il commence à q_____ heure? Et q_____ est le prix des billets?"

"C_____ soir, t_____ les places sont gratuites."

6 ★★★ Translate the following sentences into French.
a At school, I like music and art best.
b These pancakes are really delicious.
c Children like fast food but chips are not healthy.
d We'd all like to go to China or Japan.
e My best friend wants to become a French teacher.

Revision of adjectives and adverbs

1 ★★ Complete the following sentences with the appropriate comparative adjectives.

a Quand ma grand-mère était jeune, elle était

_____ (*more timid*) et

_____ (*less independent*).

Elle n'était pas _____

(*as hardworking*) que ses sœurs, mais elle était

_____ (*more creative*) qu'elles.

b Quand mes parents étaient jeunes, ils étaient

_____ (*more active*) et

_____ (*more adventurous*).

Ils étaient _____ (*less*

organised) que leurs parents, mais ils étaient

_____ (*as sporty*) et

_____ (*as generous*) qu'eux!

2 ★★ Complete the following phrases with the superlative of the adjectives in brackets. Remember to add agreements where necessary.

a le pain _____ (*plus frais*)

b les croissants _____ (*moins cher*)

c les gâteaux _____ (*plus bon*)

d les pizzas _____ (*plus délicieux*)

e les queues _____ (*moins long*)

3 ★★ Complete the following sentences. Make the adverbs correspond to the adjectives.

a Elle est très polie; elle répond _____.

b Il trouve le français facile; il l'apprend _____.

c Il fait un effort constant; il travaille _____.

d Ses dessins sont bons; elle dessine _____.

e Il est très confus; il parle _____.

4 ★★ Complete the following sentences with the comparative and superlative forms of the adverbs.

a Je marche vite, mon frère marche _____

et c'est ma mère qui marche _____.

b Je skie bien, ma sœur skie _____ mais

ce sont mes cousins qui skient _____.

c Pierre danse mal, Luc danse _____

et Samuel danse _____.

5 ★★ Translate the following phrases into French.
a extremely hot

_____

b quite nice

_____

c relatively difficult

_____

d really sorry

_____

e absolutely impossible

_____

6 ★★★ Add a suitable quantifiers or intensifiers to the sentences below. Use a different one for each sentence.

a Il fait _____ froid au Canada.

b Mon chien est _____ mignon.

c Je danse _____ mal.

d Il dépense son argent _____ prudemment.

e Je me suis levé _____ tard.

7 ★★★ Translate these sentences into French.
a My other sister is not particularly sporty but she plays tennis quite well.

b The water was so warm that we often swam before breakfast.

c These stories are becoming more and more complicated.

d I do my homework as quickly as possible.

e Yesterday evening we were all extremely tired.

Pronouns

Personal and reflexive pronouns

Personal pronouns

- The subject pronouns are *je* (I), *tu* (you), *il* (he, it), *elle* (she, it), *nous* (we), *vous* (you), *ils* (they) and *elles* (they).
- There are two words for 'you' in French: *tu* (singular, informal) and *vous* (singular, formal and also plural).

1 ★ Write beside each of these people whether you should call them *tu* or *vous*.

a un vendeur _____ b un ami _____

c deux enfants _____ d un professeur _____

TIP

- To say 'it', use *il* if the pronoun refers to a masculine noun and use *elle* if it refers to a feminine noun.
- To say 'they', use *ils* for all-masculine or mixed groups and *elles* for all-feminine groups.

2 ★★ Complete the following sentences with *il, elle, ils* or *elles* as appropriate.

a Je n'aime pas cette histoire; _____ est trop longue.

b Mes frères sont sympa mais _____ font trop de bruit.

c Tes chaussures? _____ sont dans le placard.

d Regarde mon portable. _____ est trop beau!

TIP

- *On* can mean 'you', 'we', 'they' or 'one'. It is followed by the same form of the verb as *il/elle*.

3 ★★ Complete each of the following sentences with a phrase from the box.

a En France _____ beaucoup de pain.

b Dans les Alpes _____ faire du ski.

c Ce soir _____ au cinéma.

d Dans ma famille _____ rarement.

> on va   on mange   on se dispute   on peut

Reflexive pronouns

TIP

- Reflexive verbs have an extra pronoun between the subject and the verb. This conveys the idea of 'myself', 'yourself' etc, but is not always translated into English.
- *Me, te* and *se* become *m', t'* and *s'* in front of a vowel.

4 ★★ Underline the reflexive pronoun in each of the following sentences and translate the sentences into English.

a Je me lève de bonne heure. _____

b Ma sœur s'habille vite. _____

c Mon frère se brosse les dents. _____

d Nous nous disputons souvent. _____

e Mes parents se promènent dans le parc.

_____

f Vous vous amusez ici? _____

g Tu te couches à quelle heure? _____

h On se détend en vacances. _____

5 ★★ Complete the following sentences with the correct reflexive pronouns.

a On _____ amuse à la plage.

b Mon frère et moi, nous _____ baignons dans la mer.

c Mon père _____ endort au soleil.

d Ma mère et ma tante _____ occupent du pique-nique.

e Mais ma sœur _____ ennuie.

TIP

- When you use a negative with a reflexive verb, *ne* goes in front of the reflexive pronoun and *pas* goes after the verb.

6 ★★ Translate the following into French, using reflexive verbs from the previous activities.

a I don't get bored.

b He doesn't go for a walk.

c We aren't enjoying ourselves.

Direct object pronouns

- The direct object pronouns in French are *me* (me), *te* (you), *le* (him, it), *la* (her, it), *nous* (us), *vous* (you), *les* (them). These pronouns go in front of the verb.

1 ★★ Underline the direct object pronoun in the following phrases and translate the phrases into English.

a il me regarde _____

b je t'admire _____

c je le prends _____

d tu la vois? _____

e elle nous aime _____

f je vous quitte _____

g nous les achetons _____

2 ★★ Write the correct direct object pronoun in the gaps below.

a Tu aimes la musique rock? Non, je _____ déteste!

b Où est le chien? Tu _____ vois?

c Les CD? Paul _____ achète en ligne.

d Tu vas en ville? Bon, je _____ attends à la gare.

e Vous connaissez Léo? Oui, nous _____ connaissons bien.

TIP

- When you use a negative, *ne* goes in front of the direct object pronoun and *pas* goes after the verb, e.g. je **ne** la vois **pas**.

3 ★★★ Rewrite these sentences in the negative.

a Les passeports? Je les ai.

_____

b On t'attend.

_____

c Je vous écoute.

_____

d Je l'achète.

_____

TIP

- Direct object pronouns can also be used with *voici* and *voilà*, in phrases such as *Me voici!* (Here I am) or *Les voilà!* (There they are)

4 ★★ Translate into French.

a Here she is. _____

b There you are. _____

c Here we are. _____

d There it is. _____

TIP

- When there are two verbs in a sentence, direct object pronouns go in front of the infinitive e.g. *je vais la voir.*

5 ★★★ Rewrite the following sentences replacing the noun in bold with a pronoun.

a Elle va voir **le film**.

_____

b Nous voulons acheter **les CD**.

_____

c Je ne peux pas faire **mes devoirs**.

_____

d Ils doivent vendre **leur maison**.

_____

TIP

- In the perfect tense, pronouns go in front of the auxiliary (*avoir/être*). When there is a direct object pronoun in front of *avoir*, the past participle agrees with this pronoun by adding *-/-e/-s/-es*, e.g. *je les ai vu**s***.

6 ★★★ Fill in the appropriate pronouns and add agreements if necessary.

a Voici mes DVD; je _____ ai acheté___ sur eBay.

b Où est la tarte aux pommes? Tu _____ as mangé___?

c Mon portable! Je _____ ai laissé___ dans le car!

d Tu as tes gants? Non, je _____ ai perdu___.

Indirect object pronouns

- An indirect object pronoun replaces a noun (usually a person) that is linked to the verb by a preposition (usually *à*).
- The French indirect object pronouns are *me* (to me), *te* (to you), *lui* (to him, to her), *nous* (to us), *vous* (to you), *leur* (to them).
- These pronouns go in front of the verb. They do not require any verb agreements.

1 ★★ Underline the indirect object pronoun in each of these sentences and translate the sentences into English.

a Ma mère m'a offert un beau cadeau.

_____

b Je te donne l'adresse.

_____

c Elle lui a téléphoné hier.

_____

d Le prof lui a demandé son nom.

_____

e Il vous a écrit une lettre?

_____

f Je leur envoie mes meilleurs vœux.

_____

2 ★★ Complete the following sentences with the appropriate indirect object pronoun.

a Quand Léa était malade, je _____ ai envoyé des fleurs.

b Mes parents insistent pour que je _____ téléphone si je rentre tard.

c Mon prof _____ a demandé de préparer une présentation, mais je _____ ai dit que j'avais trop de travail.

d C'est l'anniversaire de Noé; je vais _____ offrir un cadeau.

e Les filles n'avaient pas d'argent, alors je _____ ai prêté dix euros.

3 ★★★ Translate the following sentences into French.
a I gave her a CD.

_____

b We asked them to write to us.

_____

c I phoned them and told them to wait.

_____

d My parents sent you (*pl*) a card.

_____

e He didn't reply to us.

_____

- Some verbs can be followed by both a direct and an indirect object pronoun. The pronouns both go in front of the verb, in this order:

me, te, nous, vous	le, la, les	lui, leur

4 ★★★ Study the underlined phrases in the following sentences and circle the direct objects in red and the indirect objects in blue. Then rewrite the sentences, replacing the underlined phrases by pronouns.

a Mon ami a offert le cadeau à sa mère.

_____

b Nous avons écrit le message à nos parents.

_____

c J'ai donné son numéro à mon frère.

_____

d Les jeunes Français nous ont envoyé ce livre.

_____

e Qui a prêté le portable aux enfants?

_____

The pronouns *y* and *en*

TIP

- *Y* refers to a place that has already been mentioned and is normally translated as 'there'. Like all pronouns, it goes in front of the verb.

1 ★★ Choose the appropriate answer to each of the following questions and write the number after the question. Underline the phrase in the question to which *y* refers.

a Vous allez à Paris en août? ___

b Ton père habite en Amérique? ___

c On va au cinéma samedi soir? ___

d Tu es bien arrivé à Bordeaux? ___

e Combien de temps es-tu resté en ville? ___

1 Oui, il y travaille maintenant.

2 Non, on n'y va pas ce week-end.

3 J'y ai passé trois heures.

4 Oui, j'y suis arrivé à six heures.

5 Oui, nous y allons chaque été.

2 ★★ Rewrite these sentences replacing the phrase in bold with *y*.

a Nous passons deux semaines **en France**.

_____

b J'habite **dans cette ville** depuis dix ans.

_____

c Je travaille **dans le magasin** chaque soir.

_____

d Nous allons **à la piscine** samedi.

_____

e On trouve des fromages fermiers **au marché**.

_____

3 ★★★ Translate into French.

a A millionaire lives there.

b I went there by train.

c I'd like to go there.

TIP

- *En* is a pronoun which replaces one or several nouns. It usually means 'some' or 'any'. Like all pronouns, it goes in front of the verb.

4 ★★ Translate the sentences in bold into English.

a J'ai du chocolat. − **Tu en veux**?

_____

b Non, merci, **je n'en veux pas**.

_____

c A-t-il de la monnaie? − Oui, **il en a.**

_____

d Prends des carottes. − Merci, **j'en ai déjà pris.**

_____

TIP

- *En* is often used with expressions of quantity, meaning 'of them'.

5 ★★ Rewrite the answers to the following questions, using *en* to avoid repeating the noun in bold.

a As-tu des frères? − Oui, j'ai trois **frères**.

_____

b As-tu assez d'argent? − Oui, j'ai assez **d'argent**.

_____

c Ont-ils trop de devoirs? − Non, ils n'ont pas trop **de devoirs**.

_____

d Reste-t-il des croissants? − Oui, il reste un **croissant**.

_____

6 ★★★ Translate the following alternative answers to the questions in Activity 5 into French.

a No, I haven't got any.

b No, I haven't got enough.

c Yes, they have too much.

d No, there aren't any left.

Position and order of pronouns

- Pronouns in French go in front of the verb. In a negative sentence, *ne* goes in front of the pronoun(s) and *pas* goes after the verb.

1 ★★ **Complete the following sentences by translating the words in brackets.**

a L'histoire m'intéresse, mais la géographie _____ _____ (*doesn't interest me*)

b Je les écoute souvent mais mon ami _____ _____ (*doesn't listen to them*)

c Il l'aime, mais elle _____ _____ (*doesn't love him*)

d Je lui en parle souvent, mais sa mère _____ _____ (*doesn't talk to her about it*)

TIP

- If the verb is inverted to form a question, the pronoun(s) stay in front of the verb.

2 ★★ **Complete the questions with the appropriate pronoun.**

a Can you hear me? _____ entends-tu?

b Can you see them? _____ vois-tu?

c Are they talking about it? _____ parlent-ils?

TIP

- When there are two verbs in a sentence, the pronoun(s) go in front of the infinitive.

3 ★★ **Rewrite the following sentences replacing the phrases in bold with pronouns.**

a Je veux parler **à mon père**.

_____

b On ne peut pas vendre **la maison**.

_____

c J'aimerais aller **en Grèce**.

_____

d Nous allons voir **les animaux**.

_____

TIP

- When the verb is in the perfect tense, the pronoun(s) go in front of the auxiliary (*avoir*/*être*).

4 ★★★ **Translate the following sentences into French. The verbs you need are in the box below.**

a I ate too much and didn't drink enough.

b We bought some yesterday.

c I went there by plane.

J'ai mangé	j'ai bu	nous avons acheté	je suis allé

TIP

- When there are several pronouns in the same sentence, they go in the following order:

me te se nous vous	le la les	lui leur	y	en

5 ★★★ **Rewrite the following sentences replacing the phrases in bold with pronouns. Use the chart above to make sure that the pronouns are in the correct order.**

a Il a montré **son billet au contrôleur**.

_____

b Je n'ai pas offert **de noisettes à mon ami**, parce qu'il est allergique **aux noisettes**.

_____

c Ma copine s'amuse bien **en Espagne**.

_____

d Je ne me souviens pas **de son nom**.

_____

e On a trouvé **l'argent dans la voiture**.

_____

Emphatic pronouns

- Emphatic pronouns in French are *moi, toi, lui, elle, nous, vous, eux, elles*. They are used to add emphasis to the subject that follows.

1 ★ **Complete each sentence by filling in the appropriate emphatic pronoun.**

a _____, j'adore le chocolat.

b Et _____, qu'est-ce que tu aimes manger?

c Marion, _____, adore les pizzas.

d _____, il déteste le poisson.

e _____, nous ne mangeons pas de viande.

f Vous aimez les huîtres, _____?

g _____, ils mangent de tout!

h Les filles, _____ préfèrent le fast-food.

- Emphatic pronouns in French are also used after prepositions.

2 ★★ **Complete the phrases in French.**

a with me   avec _____

b after her   après _____

c in front of you   devant _____

d at their (*m*) house   chez _____

e for you   pour _____

f behind us   derrière _____

g between ourselves entre _____

h according to them (*f*) selon _____

i without him   sans _____

j next to me   à côté de _____

- Emphatic pronouns are also used after *c'est* and *ce sont* and in one-word answers to a question.

3 ★★ **Complete the following with the appropriate emphatic pronoun.**

a Qui est-ce? C'est _____! (*me*)

b Qui a mangé les bonbons? _____? (*you*)

Non, c'étaient _____! (*them*)

c Mon père aime les plantes, donc c'est _____ qui s'occupe du jardin. (*him*)

- Emphatic pronouns can be used with *à* to show possession e.g. *le livre est à moi.*

4 ★★ **Complete the following sentences with the appropriate emphatic pronoun.**

a Excusez-moi, madame, ce sac est _____? (*yours*)

b Non, je pense que c'est _____. (*his*)

c Ces clefs ne sont pas _____. (*ours*)

d Je suis sûr qu'elles sont _____. (*theirs – masc*)

e Amélie, ce nounours est _____? (*yours*)

f Oui, il est _____. (*mine*)

- Emphatic pronouns can be used in comparisons.

5 ★★ **Translate into French.**

a I am more intelligent than you.

_____

b She is less creative than him.

_____

c We are as sporty as them.

_____

d They are less generous than us.

_____

e You are not as nice as her.

_____

Relative pronouns

TIP

- *Qui* means 'who' or 'which'. It can refer to a person or an object and can be singular or plural. *Qui* is always the subject of the verb which immediately follows it.

1 ★★ **Choose the appropriate relative clause (1–5) to fill in the gaps in the following sentences.**

a Mon patron, _____, m'aide beaucoup.

b La collègue _____ est toujours occupée.

c Les employés _____ gagnent un bon salaire.

d Je travaille dans un restaurant _____.

e Il y a plusieurs métiers _____.

1 qui est situé au centre-ville

2 qui travaille à la réception

3 qui est très gentil

4 qui m'intéressent

5 qui parlent plusieurs langues

TIP

- *Qui* is also used with prepositions. In this case, it only refers to a person or people, not an object.

2 ★★ **Complete the following sentences with the appropriate preposition from the box.**

a Les autres stagiaires _____ qui je travaille sont très sympa.

b La dame _____ qui j'habite est la patronne du café.

c Le client _____ qui j'écris la lettre habite en Suisse.

d Le patron _____ qui je travaille est exigeant.

à	chez	avec	pour

TIP

- *Que* is the other relative pronoun meaning 'who' or 'which'. It can refer to a person or an object and can be singular or plural. *Que* is always the object of the verb which immediately follows it.

3 ★★ **Translate the phrases below into English.**

a le patron que je n'aime pas

_____

b la collègue que j'aide

_____

c une usine que j'ai visitée

_____

d les métiers que je pourrais faire

_____

4 ★★★ **Complete the following sentences with *qui* or *que* as appropriate.**

a J'ai un oncle _____ habite en France.

b Les jeunes _____ font un stage ne sont pas bien payés.

c Le travail _____ nous faisons est souvent monotone.

d La collègue avec _____ je travaille est très bavarde.

e Je vais acheter un lecteur MP3 avec l'argent _____ j'ai gagné.

5 ★★★ **Link the following pairs of sentences with *qui* or *que* to make one sentence. Start with the first sentence each time.**

a J'ai trouvé un emploi. Il me plaît.

b J'aime les collègues. Ils me donnent des tâches intéressantes.

c Je travaille dans un magasin. Il est près de la gare.

d Les souvenirs sont assez chers. Je vends les souvenirs.

e Les touristes sont américains. Je parle avec les touristes.

TIP

- The relative pronoun *dont* means 'whose' or 'of whom'.

6 ★★★ **Translate the following phrases into English.**

a le collègue dont je connais la fille

_____

b le garçon dont le père est ingénieur

_____

c les clients dont on parle

_____

Interrogative, demonstrative and possessive pronouns

Interrogative pronouns

- Interrogative pronouns in French are *qui?* (who?), *que?* (what?) and *quoi?* (what?). *Quoi?* is used when 'what' stands alone, or after a preposition.

1 ★★ Complete the following sentences with *qui, que* or *quoi*.

a _____ fais-tu le week-end?

b _____ a téléphone?

c Tu vas chez _____ ce soir?

d C'est _____, un virus?

- The French for 'which one' is *lequel/laquelle/lesquels/lesquelles*. It agrees with the noun to which it refers.

2 ★★ Complete the following sentences with the correct form of *lequel*.

a Excusez-moi, _____ est le bureau de Madame Lenoir?

b Voici les photos; _____ préférez-vous?

c Il y a deux postes libres; _____ vous intéresse?

d On a le choix entre deux publicités; _____ est meilleure?

Demonstrative pronouns

- To say 'this' or 'that' without referring to a specific object, use *ceci* (this), *cela* (that) or *ça* (that). *Ça* is less formal than *cela* and is used mainly in spoken French.

3 ★ Translate into English.
a Je n'aime pas ça.
b Cela est très intéressant.
c Le football, le rugby – j'ai horreur de tout ça!

- To say 'this one', 'that one' or 'those ones' referring to specific objects, use *celui/celles/ceux/celles*; *–ci* or *–là* can also be added for greater emphasis ('this one here/that one there'). You do not need to use these pronouns for GCSE, but you need to understand their meaning.

4 ★★ Complete the sentences by writing in the appropriate phrase (1–6) below.

a J'aime la voiture de mon père, mais je préfère _____.

b Quel livre prends-tu? Celui-ci ou _____?

c Vous avez ouvert les lettres? – J'ai ouvert _____ mais pas_____.

d Ce n'est pas mon sac, c'est _____.

1 celui de mon patron   **2** celles-là
3 celle de ma mère   **4** celles-ci
5 celui-là

Possessive pronouns

- Possessive pronouns mean 'mine', 'yours', etc. In French they are *le mien*, *le tien*, etc. In French, these pronouns have different forms depending on whether they refer to something masculine or feminine or singular or plural.
- You do not need to use these pronouns for GCSE, but you need to understand their meaning.

5 ★★★ Underline the possessive pronoun in each sentence, and then translate the sentence into English.
a Voici mon ordinateur et voilà le tien.
b J'ai bu mon café; a-t-elle bu le sien?
c Julien porte sa casquette, mais Alexis ne porte pas la sienne.
d Vous avez vos papiers, mais où sont les nôtres?
e Mon stage est passionnant; comment est le vôtre?
f Mes collègues sont amusants, mais mes amis disent que les leurs sont très sérieux.

Indefinite pronouns

TIP

- The most common indefinite pronouns in French are *quelqu'un* (someone, anyone) and *quelque chose* (something, anything).

1 ★ *Quelqu'un or quelque chose?* Fill in the gaps with the appropriate indefinite pronoun.

  a _____ a volé mon argent!

  b Voulez-vous manger _____?

  c Le patron cherche _____ qui parle allemand.

  d Tu as acheté _____?

  e Vous en avez parlé avec _____?

TIP

- *Quelque chose* can be used with *de* and an adjective, e.g. *quelque chose de nouveau* (something new). The adjective is always in the masculine singular and never needs an agreement. *De* becomes *d'* in front of a vowel.

2 ★★ Translate the following phrases into French.

  a something different _____

  b something important _____

  c something funny _____

  d something incredible _____

  e something special _____

TIP

- Other indefinite pronouns include: *tout/toute/tous/toutes* (all) and *chacun/chacune* (each). These agree with the nouns to which they refer.

3 ★★ Circle the correct form of the indefinite pronoun in these sentences.

  a Les employés sont tout / tous satisfaits de leur travail.

  b Les filles ont tous / toutes décidé de quitter le café.

  c Nous nous sommes toute / tous bien amusés.

  d Le patron a parlé à chacun / chacune des femmes.

  e Parmi les garçons, chacun / chacune cherche un emploi différent.

TIP

- You may also come across the following indefinite pronouns:

    quelques-uns/quelques-unes (some)

    d'autres (others)

    plusieurs (several)

    n'importe qui (anyone at all)

    n'importe quoi (anything at all)

4 ★★ Complete the French translation of the English sentences below with the correct indefinite pronouns.

  a Anyone at all could do this work.

    _____ pourrait faire ce travail.

  b Several of my colleagues are ill.

    _____ de mes collègues sont malades.

  c Some (*masc*) are stressed but others are lazy.

    _____ sont stressés, mais

    _____ sont paresseux.

  d The boss would give a job to anyone.

    Le patron donnerait un poste à

    _____.

  e A lot of young people are ready to do anything.

    Beaucoup de jeunes sont prêts à faire

    _____.

5 ★★★ Translate the following sentences into French. You will need to use all the indefinite pronouns practised in the activities on this page.

  a Someone told me something interesting yesterday.

  b My colleagues are all older than me.

  c I don't want to do just anything; I want to find something special.

  d We are all friendly and you can ask anyone at all a question.

  e Here are the computers; some are new but others are quite old.

Revision of pronouns

1 ★★ Complete the answers to the following questions using a direct object pronoun to avoid repeating the noun.

a Tu connais le film?

Oui, _____

b Tu aimes la musique?

Non, _____

c Tu vas voir tes cousins?

Oui, _____

d Tu as fini tes devoirs?

Non, _____

e Tu as acheté le cadeau?

Oui, _____

2 ★★ Rewrite the following sentences replacing the nouns in bold with direct or indirect object pronouns, *y* or *en* as appropriate.

a On a prêté **le DVD aux copains**.

_____

b Elles ont vu **la pièce au théâtre**.

_____

c Il a vu **les hamburgers** et il a mangé trois **hamburgers.**

_____

d Nous avons trouvé **ces vêtements sur eBay**.

_____

e Je n'ai pas besoin **de chaussures**.

_____

f Ils m'ont envoyé **les explications**.

_____

3 ★★ Complete the following sentences with the appropriate emphatic pronoun.

a C'est toi, Max? Oui, c'est _____!

b _____, il ne fait jamais rien dans la maison!

c J'aime bien les jumeaux et je joue souvent avec _____.

d Nous sommes rentrés tard chez _____.

e Claire et Nathalie disent que la musique est importante pour _____.

4 ★★★ Link the following pairs of sentences using *qui* or *que* as appropriate.

a J'ai beaucoup admiré l'acteur. Il a joué le rôle du pirate. _____

_____

b Il a sauvé l'héroïne. Elle était très belle. _____

_____

c J'ai préféré le dernier Spiderman. J'ai vu ce film en France. _____

_____

d As-tu lu ce livre? Je viens de l'acheter. _____

_____

e J'adore les comédies. Elles me font rire. _____

_____

5 ★★★ Complete the following sentences with the correct indefinite pronoun.

a Je connais _____ qui aime le surf. (*someone*)

b L'employé a demandé le nom de _____. (*each person*)

c As-tu reçu _____ de beau? (*something*)

d Parmi mes copains, _____ aiment **le** cinéma mais _____ préfèrent le théâtre. (*some, others*)

6 ★★★ Translate the following sentences into French.

a I wrote a letter to them for him.

b We all hope to go there with you.

c These books are something special. The writer, who is very famous, has written seven of them.

d Do you like them? My friend gave me them.

Prepositions

The preposition *à*

1 ★ **Translate the following sentences into English.**

   a J'habite à Londres.

   _____

   b Il ne va pas à Lyon.

   _____

   c Nous sommes arrivés à Bruxelles.

   _____

2 ★ **Complete the following sentences with the times in brackets.**

   a Je me lève _____ (*at 7 o'clock*)

   b On déjeune _____ (*at midday*)

   c Les cours finissent _____ (*at 4 o'clock*)

3 ★★ **Fill in the gaps in the following sentences with** *au, à la, à l'* **or** *aux* **as appropriate.**

   a Le week-end, je travaille _____ supermarché.

   b Si on allait _____ cinéma? – Non, moi je préfère aller _____ concert.

   c En été, nous allons _____ plage.

   d Samedi, je vais faire des courses. Je vais d'abord _____ boulangerie, puis _____ librairie.

   e On mange _____ restaurant, on danse _____ discothèque, et puis on rentre _____ maison.

Je joue au snooker

4 ★★ **Complete each sentence with three appropriate sports from the box below. Remember to put** *au, à la, à l'* **or** *aux* **before each sport.**

   a Je suis très sportif. Je joue _____

   _____

   b Je ne suis pas sportif. Je joue _____

   _____

volley   pétanque   échecs   tennis   loto   basket

5 ★★ **Fill in the gaps in the following passage with** *au* **or** *aux* **as appropriate.**

Ma cousine voyage beaucoup. Elle est déjà allée _____ Maroc et _____ Portugal. En plus, elle a travaillé _____ Pays-Bas. Demain, elle part _____ États-Unis, et l'année prochaine elle ira _____ Japon et _____ Pakistan.

6 ★★★ **Translate the following sentences into French.**

   a I go to school at eight o'clock.

   b In Nice we went to the museums and the old town.

   c My aunt goes to church at ten o'clock.

   d I'd like to go to university.

   e When we arrived in Paris, we went directly to the hotel.

   f I spent the holidays at the seaside in Portugal.

The preposition *de*

TIP

• *De* meaning 'of ' is used to indicate possession. *De* changes when it is followed by a definite article.

de + le = du   de + la = de la   de + l' = de l'   de + les = des

1   ★ Translate the phrases in bold into English.

a   Voici **la maison de mes amis**.

_____

b   J'entends **la voix du professeur**.

_____

c   **La mère des enfants** travaille à mi-temps.

_____

2   ★★ Translate the following phrases into French.

a   my brother's room

_____

b   the neighbours' garden

_____

c   the child's photo

_____

d   a description of the thief

_____

e   my friend's family

_____

TIP

• *De* also means 'from' or 'out of'.

3   ★★ Complete the following sentences with the appropriate phrase(s) including *de, du, de la, de l'* or *des*.

a   Il vient d'arriver _____. (*from Paris*)

b   Je suis sorti _____ à sept heures. (*out of the house*)

c   Mes parents viennent _____.
(*from the north of England*)

d   J'ai reçu une lettre _____.
(*from the manager of the shop*)

TIP

• *De* is used with the verb *jouer* to talk about playing any kind of musical instrument e.g. *je joue du piano.*

4   ★★ Complete the sentences using all the instruments listed in the box below. Remember to include *du, de la, de l'* or *des* each time.

Dans ma famille on est très musiciens. Mon

père joue _____ et ma mère

joue _____ Mon frère joue

_____, ma sœur joue _____

et moi, je joue _____.

violon (*m*)   flûte (*f*)   batterie (*f*)   trompette (*f*) guitare (*f*)

TIP

• In expressions of quantity, always use just *de* (*d'* in front of a vowel). Do not use *du, de la, de l'* or *des*.

5   ★★ Translate the following phrases into French.

a   a packet of crisps   _____

b   two bottles of lemonade   _____

c   a glass of water   _____

d   too much homework   _____

e   enough money   _____

f   a lot of friends   _____

6   ★★★ Complete the following sentences by filling in the gaps with *de, du, de la, de l'* or *des* as appropriate.

a   La vue _____ terrasse est splendide.

b   On a acheté beaucoup _____ souvenirs dans le magasin _____ village.

c   Elle est sortie _____ aéroport et elle a cherché la voiture _____ famille française.

d   J'ai acheté une tasse _____ café et un paquet _____ biscuits au café _____ gare.

Prepositions in expressions of time

TIP

- Some prepositions tell you when something happens.

1 ★ Complete the following sentences with an appropriate word from the box below.

a _____ les vacances, on rentre à l'école.

b Il commence à six heures et travaille _____ midi.

c Le film commence quand? – _____ huit heures, je pense.

d Mes parents disent que je dois rentrer _____ minuit.

e Dépêchez-vous! Le bus part _____ une minute!

> avant   après   dans   vers   jusqu'à

TIP

- Some expressions of time which have a preposition in English do not need a preposition in French.

2 ★★ Write in the French for the following English expressions of time. The first four are in the box.

a at the weekend _____

b in the evening _____

c on Saturday _____

d on Fridays (i.e. every Friday) _____

e in the morning _____

f on Monday afternoon _____

g on Wednesday evenings _____

h on Sunday _____

> le soir   le vendredi   le week-end   samedi

TIP

- In expressions of time, *pendant* means 'during' or 'for'. 'For' is translated by *pendant* if it refers to a length of time in the past. If it refers to the future, *pour* is used.

3 ★★ Complete each of the following sentences with a phrase from the box.

a _____ je suis allé en France.

b J'ai travaillé dans un bureau _____.

c Cet été, j'irai en Australie _____.

d Nous avons attendu le bus _____.

> pendant un mois   pendant les grandes vacances
> pour deux semaines   pendant plus d'une heure

TIP

- To talk about how long something lasted, use *depuis* to mean 'for' if it is still going on. There are special rules about verb tenses with *depuis*.

- *Depuis* + present tense = 'have been' e.g. *j'habite ici depuis un an* = I **have** been living here for a year

- *Depuis* + imperfect tense = had been e.g. *j'habitais ici depuis un an* = I **had** been living here for a year

4 ★★ Study the following sentences. In each one, underline the expression of time with *depuis* and write whether verb is in the present or the imperfect tense. Then translate the sentences into English.

a J'apprends le français depuis quatre ans.

b Il travaillait à Paris depuis longtemps.

c Je joue du violon depuis plus de cinq ans.

d Elle chantait dans le groupe depuis presque six mois.

e Je vais régulièrement au cinéma depuis quelques ans.

5 ★★★ Translate the following sentences into French.

a In the Christmas holidays I was ill for a week.

b On Tuesday morning I swam for an hour before breakfast.

c We have been waiting for you for half an hour already.

d I've liked action films for a long time.

e At the weekend I watched television for five hours.

Prepositions in expressions of place

TIP
• Some prepositions tell you where something happens.

1 ★ Complete the following sentences with the appropriate prepositions from the box below.

a La poste est _____ la rue principale,

_____ une banque et une boulangerie.
(*in, between*)

b L'arrêt d'autobus est _____ la gare.
(*in front of*)

c Continuez _____ l'autoroute, et le garage est

_____ votre gauche. (*towards, on*)

d Vous pouvez stationner là-bas, _____ les arbres. (*under*)

e Il y a un parking payant _____ le supermarché. (*behind*)

devant	derrière	dans	entre	sur	sous	vers

TIP
• Some prepositions end in *de*. These include *près de* (near to), *loin de* (far from), *à côté de* (next to), *en face de* (opposite) and *au coin de* (at the corner of). When using these prepositions, remember that *de* changes to *du, de la, de l'* or *des*, depend on the noun which follows it.

2 ★★ Translate the following phrases into French.
a near the station

_____

b a long way from the hotel

_____

c opposite the sports centre

_____

d at the corner of the high street

_____

e next to the bus station

_____

TIP
• *Chez* does not have a direct equivalent in English. It is used with names of people to mean 'at the house of', but is also used to translate 'at' or 'to' with names of companies or shops.

3 ★★ Complete the sentences with a phrase from the box.

a Nous sommes invités à dîner _____.

b J'ai fait un stage _____.

c Après le film, tout le monde est rentré _____.

d On a acheté toutes ses chaussures _____.

e Mes cheveux sont trop longs, c'est pourquoi je vais

_____.

chez moi   chez Renault   chez Prada
chez le coiffeur   chez mon ami

4 ★★★ Complete the tour guide's commentary with the appropriate phrases in French.

a _____ , vous voyez le bistrot "Chez Pierre". (*in front of you*)

b C'est _____ que Johnny Depp a dîné avec sa famille. (*in this restaurant*)

c Il n'habite pas _____

_____ (*far from the centre of the village*)

d Sa maison se trouve _____

_____ (*near the castle, opposite the church*)

e Le samedi, il achète du pain _____

_____ (*from the baker's behind the café*)

f Et l'année dernière, sa femme est allée _____

_____ (*to the doctor's next to the park*)

g Un jour, on a vu ses enfants _____

_____ (*at the corner of the street*)

Other prepositions and common phrases

TIP

- Other prepositions include *comme, pour, avec, sans, sauf* and *par.*

1 ★ Underline the phrases starting with a preposition in each of the following sentences and translate the phrases into English.

a Le bus arrive en retard, comme d'habitude.

_____

b Je cherche un cadeau pour mon amie.

_____

c J'aimerais partir en vacances avec mes amis.

_____

d Mais nous ne pouvons pas partir sans les parents.

_____

e Tout le monde est d'accord, sauf Caroline.

_____

f Le château a été construit par le roi de France.

_____

TIP

- The preposition *en* is used with feminine countries to mean 'to' or 'in'.

2 ★★ Translate the following sentences into French. The names of the countries are in the box below.

a I'm going to Spain.

_____

b Panos lives in Greece.

_____

c We went back to Italy.

_____

d He works in Switzerland.

_____

e She is going to Poland.

_____

Grèce   Pologne   Espagne   Suisse   Italie

TIP

- French often uses different prepositions from English.

3 ★★ Choose a French phrase from the box to translate each of the following phrases.

a on the coach _____

b from time to time _____

c on the first floor _____

d twice a week _____

e by car _____

f in a good mood _____

g on television _____

h on the way to the cinema _____

i on foot _____

j in my opinion _____

k on the ground floor _____

l on holiday _____

m in the country _____

à la télévision   en voiture   au premier étage
de bonne humeur   dans le car
à mon avis   en vacances   à pied
en route pour le cinéma   deux fois par semaine
à la campagne   de temps en temps
au rez-de-chaussée

4 ★★★ Use your answers from activity 3 to translate the following phrases into French.

a by plane _____

b on the third floor _____

c three times a year _____

d on the radio _____

e on the bus _____

f on the way to school _____

g in a bad mood _____

Conjunctions

1 ★ Underline the conjunction in each of the following sentences and write its English meaning.

a J'aime la géographie parce que c'est passionnant.

_____

b Le français est utile, mais c'est compliqué.

_____

c Il ne fait pas ses devoirs, donc il ne fait pas de progrès.

_____

d Elle n'est pas sportive, pourtant elle fait toujours un effort.

_____

e Ma matière préférée, c'est l'anglais, car j'adore la lecture.

_____

2 ★★ Match the two halves of the sentences.

a Je m'intéresse à l'environnement,   _____

b J'éteins la lumière   _____

c Je prends une douche au lieu d'un bain   _____

d Mes parents essaient de ne pas utiliser la voiture;   _____

e On devrait avoir un tas de compost   _____

f La municipalité favorise le recyclage,   _____

1 quand je sors d'une pièce.
2 parce qu'il faut économiser l'eau.
3 donc tout le monde trie les déchets.
4 alors je recycle autant que possible.
5 mais notre jardin est trop petit.
6 pourtant, les transports publics ne sont pas fiables.

3 ★★ Complete the following sentences with a suitable conjunction from the box below. There may be more than one possibility each time.

a Il faut protéger les forêts, _____ elles sont importantes pour l'environnement.

b Nous devrions développer les énergies renouvelables; _____ elles ne seront pas suffisantes.

c Il faut combattre le réchauffement climatique _____ il risque de détruire notre planète.

d La pollution de l'air augmente dans nos villes, _____ il y a trop de voitures.

e Il faut agir maintenant _____ il sera trop tard.

| car puisque où pourtant sinon |

4 ★★★ Complete the following sentences with an appropriate conjunction. Use a different conjunction each time.

a Mon frère aimerait devenir musicien, _____ il se passionne pour la musique.

b Il joue dans un groupe; _____ il se dispute souvent avec les autres.

c Ils ont déjà enregistré un CD, _____ ils espèrent devenir célèbres.

d Je l'ai entendu à la radio, _____ il n'est pas en vente dans les magasins.

e Le groupe part bientôt à Londres, _____ il y a beaucoup de clubs.

f Dans deux ans, mon frère sera célèbre, _____ il va devenir expert comptable!

5 ★★★ Translate the following sentences into English.

a I always buy recycled products; however they are expensive.

b We go into town by bus as it is more ecologically friendly.

c We want to save our planet yet we waste a lot of energy.

Numbers, dates and times

- Revise regularly how to say numbers 1–100 in French. With larger numbers, note whether they need an article (*le/un* etc) and whether they are followed by *de* or not.

1 ★ **Match the sentence halves, then underline the number and write it as a figure in at the end.**

a Cent vingt passagers _____

b Un million de réfugiés _____

c Mille cinq cents élèves _____

d Deux mille fans de rock _____

1 ont passé l'examen. **2** étaient dans le train.

3 ont assisté au festival. **4** ont quitté leur pays.

- To say an approximate number, use *une –aine* followed by *de* e.g. *une vingtaine de personnes* (about 20 people). To say 'about a thousand', use *un millier de ...*

2 ★★ **Translate into French.**

a about 12 visitors

_____

b a hundred or so spectators

_____

c thousands of euros

_____

- To say 'the second', 'the third' etc use *le/la – ième*, e.g. *le deuxième*. The only exception is 'the first', which is *le premier/la première*.

3 ★★ **Translate the following phrases into English.**

a le premier jour _____

b la troisième semaine _____

c en quatrième place _____

How would you say in French:

d the fifth film _____

e the first week _____

- To say a date in French, use *le* + number + month, e.g. *le cinq avril*. Use the normal number, apart from the 1st of the month, which is *le premier*.

- To say a year, say the full number, e.g. *dix-neuf cent soixante-douze* (1972).

- In years, the word for 'thousand' is spelt as *mil*, e.g. *deux mil deux* (2002).

4 ★★ **Write these dates and years in words.**

a 25/01 _____

b 01/05 _____

c 15/08 _____

d 2008 _____

e 1994 _____

- To say the time in French, you may need to use the 12- or the 24-hour clock.

5 ★★ **Write these times in words.**

a 2.15 _____

b 4.30 _____

c 11.10 _____

d 17.35 _____

e 19.45 _____

- To say 'ago' use *il y a*, e.g. *il y a dix ans* (10 years ago).

6 ★★ **Translate into French.**

a 5 weeks ago _____

b a month ago _____

c 2 days ago _____

d 3 hours ago _____

Revision of prepositions, conjunctions, numbers, dates and times

1 ★ Complete the following phrases with *à, au, à la, à l'* or *aux* as appropriate.
J'ai cherché les copains:

a (*at the market*) _____

b (*at the library*) _____

c (*at the town hall*) _____

d (*at the swimming pool*) _____

e (*at the stadium*) _____

2 ★ Translate the following phrases into French, using *de, du, de la, de l'* or *des*, as appropriate.

a the baker's wife
_____

b the hero of the story
_____

c the children's room
_____

d the woman's car
_____

e the end of the film
_____

3 ★★ Complete the following sentences with suitable prepositions.

a _____ musée _____ mer, les photos _____ port _____ la guerre sont _____ premier étage.

b _____ le magasin _____ station-service, j'ai acheté une bouteille _____ eau minérale et trois paquets _____ chewing-gum.

c Il n'y avait plus _____ pain dans la boulangerie en face _____ camping.

d _____ le déjeuner, je suis allé _____ ville _____ pied, car je n'avais pas assez _____ argent _____ payer le bus.

e _____ week-end, je joue _____ piano si j'ai assez _____ temps.

4 ★★ Link the following pairs of sentences using a suitable conjunction.

a Le film m'a plu. Il y avait trop d'effets spéciaux. _____
_____

b L'histoire n'était pas compliquée. J'ai compris ce qui se passait. _____
_____

c L'action se déroule dans un château. Il y a plusieurs fantômes dans le château. _____
_____

d Certains acteurs ont très bien joué. D'autres étaient franchement mauvais. _____
_____

e Je suis allé voir le film. Mon frère voulait absolument le voir. _____
_____

5 ★★ Complete the following sentences by writing in the dates and times in French.

a On déjeune à _____ (*12.30*)

b Son anniversaire est _____ (*14 July*)

c Le parc ferme à _____ (*20.30*)

d On part vers _____ (*6.45*)

e Je l'ai acheté _____ (*3 years ago*)

6 ★★★ Translate the following sentences into French.

a I 've been reading this book for three weeks already.

b On Monday mornings I'm always in a bad mood.

c In Nice, there is a market near the port where they sell a lot of flowers.

d At Daniel's house there is a games room downstairs.

e He lives in Strasbourg, right near the German border.

Verbs

The present tense of regular verbs

TIP

- The present tense is used to describe what happens now or what usually happens.

1 ★ Complete the following sentences with the correct form of the verb from the box below.

a Je _____ normalement vers sept heures.

b J'_____ la radio dans la salle de bains.

c Je _____ le petit déjeuner rapidement.

d Je _____ quelques devoirs à la dernière minute.

e Je _____ la maison vers huit heures moins dix.

f Mais souvent, j'_____ quelque chose.

g Je _____ donc vite retourner chez moi.

h Quelquefois je _____ vraiment en retard.

i Je _____ le bus et je _____ chez moi.

j Si ma mère n'est pas là, j'_____ un taxi.

> quitte dois rentre rate écoute
> me lève suis prends fais appelle oublie

TIP

- Verb endings change to match the person who is doing the action. Regular verbs follow a pattern and irregular verbs have to be learned by heart.

2 ★★ Which four verbs in activity 1 are irregular?

_____

3 ★★ Circle the correct form of the verb in these sentences.

Qu'est-ce qu'on fait à la boum?

a Moi, je manges / mange / mangent des chips.

b Et je bavarde / bavardez / bavardent avec Thomas en même temps.

c Élodie et Justin dansez / dansons / dansent ensemble.

d Émile parle / parles / parlons avec Claudine.

e Les trois blondes chuchote / chuchotent / chuchotes* dans le coin.
    * chuchoter – to whisper

f Et toi, tu aime / aimes / aimez la musique?

g Vous deux, vous préférons / préfère / préférez le jazz?

h On m'amuse / s'amuse / s'amusent bien.

TIP

- The endings for a regular -er verb are:

je travaille	nous travaillons
tu travailles	vous travaillez
il/elle/on travaille	ils/elles travaillent

4 ★★ Fill in the gaps with the correct form of the verb in brackets.

a Je _____ dans un supermarché. (*travailler*)

b Je _____ à huit heures le samedi matin. (*commencer*)

c D'autres collègues _____ plus tard. (*arriver*)

d Le patron nous _____ ce qu'il faut faire. (*expliquer*)

e D'habitude, Saïd et Lucas _____ les marchandises. (*ranger*)

f Mais Hélène et moi, nous _____ à la caisse. (*travailler*)

g Je _____ environ 35€ par jour. (*gagner*)

TIP

- Verbs which end in -ger add an extra e in the nous form: *nous mangeons*
- Verbs which end in -cer add a cedilla in the nous form: *nous commençons*.

5 ★★ Fill in the gaps with the correct form of the verb.

a manger: je _____, il _____, nous _____

b ranger: tu _____, nous _____, ils _____

c commencer: je _____, elle _____, nous _____

- The endings for a regular -ir verb are:

  je fin**is**   nous fin**issons**

  tu fin**is**   vous fin**issez**

  il/elle/on fin**it**   ils/elles fin**issent**

6 ★★ Complete the following sentences using the verbs given in brackets, and then translate into English.

Je fais du baby-sitting pour des enfants horribles:

a Ils n'_____ pas. (*obéir*)

_____

b Clément ne _____ pas quand on lui parle. (*réagir*)

_____

c Céleste ne _____ pas ses devoirs. (*finir*)

_____

d Ils ne _____ jamais la même émission à la télé. (*choisir*)

_____

e Et moi, je _____ toujours en colère. (*finir*)

_____

- The endings for a regular -re verb are:

  je vend**s**   nous vend**ons**

  tu vend**s**   vous vend**ez**

  il/elle/on vend   ils/elles vend**ent**

7 ★★ Complete these sentences with a suitable verb from the box.

Conseils pour les touristes à Paris.

a On _____ de beaux souvenirs à Montmartre.

b Pour aller à la tour Eiffel, tu _____ du métro à Bir-Hakeim.

c Prenez une carte. Ne vous _____ pas!

d _____ la nuit pour monter à la tour Eiffel.

perdre   attendre   vendre   descendre

8 ★★ Translate into French. Use the verbs suggested.

a Do you hear? _____ (*entendre*)

b He doesn't reply. _____ (*répondre*)

c They sell. _____ (*vendre*)

d We are waiting. _____ (*attendre*)

e He loses everything. _____ (*perdre*)

9 ★★ Fill in the gaps with the correct form of a suitable verb.

Moi, j'ai plusieurs passe-temps. Par exemple, je suis très musicienne et je (**a**) _____ du piano et de la trompette. J'(**b**) _____ aussi diverses sortes de musique: le rock, le classique et le folk. Je (**c**) _____ aussi beaucoup de temps sur l'ordinateur, et j'(**d**) _____ surtout les sites sur mes groupes préférés. J'aime aussi me détendre en famille. Le soir nous (**e**) _____ d'habitude ensemble vers sept heures, puis nous (**f**) _____ souvent une comédie à la télévision. Après, nous (**g**) _____ ensemble ou nous (**h**) _____ aux cartes.

10 ★★ Choose a verb from the box to fill in the gaps.

Avec mes copains, c'est différent. Ils (**a**) _____ surtout sortir en boîte. On (**b**) _____, on (**c**) _____ et on (**d**) _____ la musique. Le mercredi ou le jeudi, on (**e**) _____ et on (**f**) _____ où aller le samedi soir. Je ne (**g**) _____ jamais chez moi samedi soir, et mes amis, eux aussi, (**h**) _____ ça important de sortir ensemble. On prend le bus ensemble, on (**i**) _____ au centre-ville et on va tout de suite à la discothèque. Mais, comme nous (**j**) _____ très tard, nous (**k**) _____ souvent un taxi à la fin de la soirée.

trouver   aimer   partager   danser   descendre
rentrer   se téléphoner   décider   bavarder
rester   écouter

The present tense of reflexive verbs

- Reflexive verbs work like other verbs, but with the addition of the reflexive pronouns:

je **me** ...	nous **nous** ...
tu **te** ...	vous **vous** ...
il/elle/on **se** ...	ils/elles **se** ...

- Many common reflexive verbs are used for describing daily routine: *se réveiller, se lever, se laver, se doucher, se peigner, s'habiller, se brosser les dents, se coucher.*

1 ★★ Complete the chart.

je (**a**) _____ lave	I get washed
tu te (**b**) _____	you get washed
il/elle/on se lave	(**c**) _____
(**d**) _____ (**e**) _____ lavons	we get washed
vous vous (**f**) _____	(**g**) _____
ils/elles (**h**) _____ (**i**) _____	they get washed

2 ★★ Translate into French. Use verbs from the tip box above.

a I get up _____

b we go to bed _____

c you (*tu*) comb your hair _____

d we get dressed _____

e he showers _____

f they (*m*) brush their teeth _____

g she gets up _____

h I go to bed _____

i you (*vous*) wake up _____

j they (*f*) have a shower _____

3 ★★★ Fill in the gaps with the correct form of a suitable reflexive verb.

J'adore les vacances. D'abord, je (**a**) _____ tard, vers onze heures. Je reste au lit écouter de la musique, puis je (**b**) _____ à midi! Je ne (**c**) _____

pas, je prends le petit déjeuner en pyjama. Mes frères ne (**d**) _____ pour le petit déjeuner – ils le prennent au lit! Si je sors, je (**e**) _____ vite dans la salle de bains et je (**f**) _____ en jean et en sweat. Mais si je reste à la maison, je prends un bain avec des bougies et de la musique. Comme c'est relaxant! Mon frère aîné, par contre, préfère se préparer rapidement. Il (**g**) _____ et (**h**) _____ en deux minutes, prend le petit déjeuner à toute vitesse, (**i**) _____ rapidement les dents et quitte la maison.

- Not all reflexive verbs relate to daily routine, e.g.
  se dépêcher – to hurry
  se présenter – to introduce oneself.

4 ★★ Match up the verbs with their meanings.

a s'amuser	**1** to rest
b s'occuper de	**2** to relax
c se détendre	**3** to get ready
d se préparer	**4** to be bored
e se reposer	**5** to be quiet
f s'ennuyer	**6** to take care of, do
g se taire	**7** to have fun

a ☐ **b** ☐ **c** ☐ **d** ☐ **e** ☐ **f** ☐ **g** ☐

5 ★★ Fill in the gaps with the appropriate form of each verb in brackets.

On se prépare pour sortir.

a Nous _____ à la maison, donc nous allons sortir. (*are bored*)

b Maman _____ dans sa chambre. (*is getting ready*)

c Papa _____ de la voiture. (*is seeing to*)

d Moi, je _____ en attendant. (*am resting*)

The present tense of modal verbs

- There are three main modal verbs:

    devoir – to have to

    pouvoir – to be able to

    vouloir – to want to

1 ★★ **Fill in the gaps with verbs from the box below.**

devoir – to have to

je _____	nous _____
tu dois	vous _____
il /elle/on _____	ils/elles _____

pouvoir – to be able to

je peux	nous _____
tu _____	vous _____
il /elle/on _____	ils/elles _____

vouloir – to want to

je _____	nous _____
tu veux	vous _____
il /elle/on _____	ils/elles _____

> dois   veux   devons   peux   veulent   peuvent
> veut   devez   pouvez   voulez   pouvons
> peut   voulons   veux   doit   doivent

- Each of these three verbs is followed by a second verb in the infinitive:

    *Veux-tu **aller** au cinéma?*

    *Non, je ne peux pas **sortir** ce soir.*

    *Je dois **faire** du baby-sitting.*

2 ★★ **Re-arrange the words to form sentences. Underline the modal verb in each one and circle the second verb in the infinitive.**

a chez / tu / venir / moi / peux

_____

b au / peut / ne / aller / cinéma / pas / il

_____

c devons / à / ce / nous / rester / la / soir / maison

_____

d aller / boîte / veut / en / elle

_____

e le / ne / film / veulent / ils / pas / voir

_____

f finir / doit / ses / il / devoirs

_____

g visiter / est-ce qu'ils / Londres / demain / peuvent / ?

_____

h musée / pour / billets / dois / le / acheter / je / des

_____

3 ★★★ **Fill in the gaps with the correct form of the modal verbs.**

a Le chien veut sortir tous les jours, mais moi, je ne _____ pas!

b Il _____ faire pipi avant sept heures du matin.

c Nous ne _____ pas qu'il le fasse dans le jardin.

d Donc, il _____ aller se promener avant le petit déjeuner.

e Nous _____ donc nous lever tôt.

f Nous devons sortir tout de suite, même si nous ne _____ pas.

g Max ne _____ pas attendre! Il faut y aller.

4 ★★★ **Complete each sentence in your own words.**

a Ce soir, je veux _____

_____

b Mais je ne peux pas, parce que je dois _____

_____

c Le week-end prochain, mes parents doivent _____

_____

d Donc ils ne peuvent pas _____

_____

e En été, nous voulons _____

_____

The present tense of irregular verbs

TIP

- Many of the most common verbs are irregular. They don't follow a pattern, so you have to learn them by heart. Four important irregular verbs are *avoir, être, aller* and *faire*.

1 ★★ Complete these four very common verbs with words from the box below.

être: to be

je suis	nous sommes
tu _____	vous _____
il/elle/on _____	ils/elles _____

aller: to go

je _____	nous allons
tu _____	vous _____
il/elle/on va	ils/elles _____

avoir: to have

j'ai	nous _____
tu _____	vous avez
il/elle/on _____	ils/elles _____

faire: to do

je _____	nous _____
tu _____	vous faites _____
il/elle/on fait	ils/elles _____

vais   fais   fais   as   vas   es   faisons   est   a
allez   avons   ont   vont   font   êtes   sont

2 ★★ Complete the sentences with the correct form of these four verbs.

a Mon meilleur ami, Lucas, _____ seize ans.

b Il _____ très sympa.

c Il _____ au même collège que moi.

d Mais il _____ dans une autre classe.

e Il _____ les cheveux noirs et frisés.

f Il _____ plus grand que moi.

g Nous _____ beaucoup de choses ensemble.

h Nous _____ tous les deux très sportifs.

i Nous _____ du ski ensemble.

j Et nous _____ souvent au match de foot ensemble.

k Nous _____ les mêmes goûts en musique.

l Il _____ plus de CD que moi.

m Quand je _____ chez lui, il me les prête.

n Quelquefois on _____ à un concert ensemble.

o D'autres amis _____ des billets pour un festival de musique.

p Nous y _____ aussi.

q Tout le monde _____ très impatient d'y aller.

3 ★★ Fill in the gaps with the correct form of one of the four verbs, then translate the sentences into English.

Questions pour une interview avec un chanteur célèbre:

a Combien de guitares _____-vous?

_____

b Que _____-vous quand vous _____ du temps libre?

_____

c _____-vous content?

_____

d _____-vous marié?

_____

e _____-vous des enfants?

_____

f Où _____-vous en vacances cet été?

_____

4 ★★★ Translate into French.

a I go to the Alps every year.

b We have a chalet in the mountains.

c In winter it's usually cold, but sunny.

d We ski every day.

e In the evenings, we go to a restaurant.

f Our friends have a chalet too.

g They usually go for three weeks.

h The children snowboard.

i The adults are happy to ski.

TIP

- Many other common verbs are also irregular. Check in the verb table on pages 76–80 if you do not know how these verbs work: *boire, connaître, dire, dormir, écrire, lire, mettre, ouvrir, prendre, partir, rire, savoir, sentir, sortir, tenir, venir, voir.*

5 ★★ **Choose a suitable verb from the box. Then translate the phrases into English.**

  a je _____ (_____)

  b tu _____ (_____)

  c il _____ (_____)

  d nous _____ (_____)

  e vous _____ (_____)

  f elles _____ (_____)

> mettons   dors   lis   partent   dit   prenez

  g je _____ (_____)

  h tu _____ (_____)

  i elle _____ (_____)

  j nous _____ (_____)

  k vous _____ (_____)

  l ils _____ (_____)

> écrivez   venons   rit   connaissent   bois   sors

6 ★★★ **Translate into French.**
  a I sleep; I open; I know

  _____

  b you take; you leave; you write (*tu*)

  _____

  c she drinks; he sees; he reads

  _____

  d we go out; we laugh; we say

  _____

  e you come; you put; you hold (*vous*)

  _____

  f they come back; they see; they drink

  _____

7 ★★ **Fill in the gaps with the correct part of the suggested verbs.**
À Noël

  a Les enfants _____ au père Noël. (*écrire*)

  b On _____ les cadeaux sous l'arbre de Noël. (*mettre*)

  c Les adultes _____ un verre de champagne et les enfants _____ du coca. (*prendre/boire*)

  d On _____ beaucoup, chez des amis. (*sortir*)

  e Le père Noël _____ au milieu de la nuit, quand les enfants _____. (*venir/dormir*)

  f Tôt le matin, les enfants _____ leurs paquets. (*ouvrir*)

  g Ils ne _____ pas ce qu'ils vont recevoir. C'est une surprise! (*savoir*)

8 ★★ **Complete each sentence with the correct form of a verb from the box.**
En pleine forme?

  a Je _____ deux litres d'eau par jour.

  b Nous _____ huit heures par nuit.

  c Je ne _____ jamais de sel quand je mange.

  d Tu _____ des vitamines?

  e Vous _____ faire du jogging avec nous?

  f Ils _____ à vélo plusieurs fois par semaine.

> venir   dormir   boire   sortir   prendre   mettre

9 ★★★ **Translate into French.**
  a When it's raining, I don't go to school on the bus.
  b My parents take the car.
  c We leave at half past eight.
  d We take* ten or fifteen minutes.
  e I read magazines on the way.

  *use *mettre*

Negatives

- The negative is formed by putting *ne* before the verb and *pas* after it.

1 ★★ **How easy do you find French? Tick the quiz statements (a or b in each pair), then check the results by turning the page upside down.**

1a La grammaire française est facile. ☐

1b La grammaire française n'est pas facile. ☐

2a Les verbes sont difficiles. ☐

2b Les verbes ne sont pas difficiles. ☐

3a Je comprends tout. ☐

3b Je ne comprends pas tout. ☐

4a J'aime parler avec des francophones. ☐

4b Je n'aime pas parler avec des francophones. ☐

5a J'ai des problèmes avec l'orthographe.* ☐

5b Je n'ai pas de problèmes avec l'orthographe. ☐

6a Je peux m'exprimer en français. ☐

6b Je ne peux pas m'exprimer en français. ☐

*spelling

2 ★★ **Rewrite each sentence to explain how your little sister is a difficult child. Make each sentence mean the opposite, by adding or removing a negative.**

a Elle parle poliment?

Non, elle ne _____

b Elle ne crie pas?

Si, elle _____

c Elle est sage?

Non, _____

d Elle se couche de bonne heure?

Non, _____

e Elle ne casse pas ses jouets?

Si, elle _____

f Elle aide sa mère?

Non, _____

g Elle fait ce qu'on lui dit?

Non, _____

- Other negative forms are:

  ne ... jamais – never   *ne ... plus* – no more, no longer

  ne ... rien – nothing   *ne ... que* – only

- These work in a similar way to *ne ... pas*, i.e. you put them before and after the verb.

  Il ne va jamais au collège. – He never goes to school.

  Il n'apprend rien. – He learns nothing.

3 ★★ **Write out each sentence in the correct order, then translate it into English.**

a va / ne / pas / Mélanie / bien / très

_____

b rien / mange / elle / ne

_____

c d'énergie / elle / plus / n'a

_____

d d'eau / elle / qu' / ne / boit / peu / un

_____

e se lever / jamais / ne / veut / elle

_____

4 ★★★ **Translate into French.**

a I never have time to write letters.

b I send* only e-mails.

c I don't send postcards.

d And I no longer send parcels.

*envoyer (j'envoie)

Résultats

Il y a un point pour les réponses suivantes:

1a 2b 3a 4a 5b 6a

5 ou 6 points: très bien

4 ou 3 points: assez bien

1 ou 2 points: il faut faire plus d'effort.

0 points: tu as besoin de cours supplémentaires.

Interrogatives and imperatives

- There are a number of ways to form questions.
  Use your voice to make a statement sound like a question:

  Tu as des frères et sœurs?

  Turn the verb and the subject round:

  Veux-tu venir au cinéma?

  Use *est-ce que* as a question tag:

  Est-ce que tu aimes les films d'horreur?

  Use a question word:

  Quand vas-tu partir? Et où iras-tu?

1 ★ **Write out the English for each question word.**

a Où? _____   **e** Pourquoi? _____

b Quand? _____   **f** Comment? _____

c Qui? _____   **g** Quel? _____

d Qu'est-ce que? _____

2 ★★★ **Read the answers a film star gave in an interview and write the questions that were asked.**

a _____

Oui, merci, ça va très bien.

b _____

En ce moment? Je tourne un nouveau film, qui s'appelle *Ceci et cela*.

c _____

Moi? Je joue le rôle d'un jeune boulanger qui rêve d'être vedette de cinéma.

d _____

Le film sortira au mois d'octobre.

e _____

Après? Je n'en ai aucune idée!

f _____

Euh, j'aime jouer de la guitare et faire des petits voyages avec ma copine.

g _____

Partout! Par exemple, le week-end dernier, nous étions à New York.

h _____

Nous avons visité Ground Zero et nous sommes allés au théâtre.

i _____

Notre séjour était très intéressant.

- The imperative is used to give orders or instructions.
  There are three forms:

Travaille!	Work!	(*tu* form)
Travaillons!	Let's work	(*nous* form)
Travaillez!	Work!	(*vous* form)

  NB –*er* verbs drop the –*s* in the *tu* form. Other verbs use the *tu* form as it normally is, e.g. *finis* – finish, *fais* – do.

3 ★ **Underline the imperative in each sentence and write its English meaning.**

a Mange plus de fruits. _____

b Bois de l'eau minérale. _____

c Fais plus de sport. _____

d Ne regarde pas trop la télévision. _____

e Évite le stress. _____

f Dors bien. _____

4 ★★ **Fill in the gaps with a verb from the box in the *vous* form of the imperative.**

Un prof parle à ses élèves:

Pour réussir à vos examens …

a _____ vos livres scolaires et vos cahiers.

b _____ des aide-mémoire.

c _____ des exercices sur le Web.

d _____ vos verbes par cœur.

e _____ avec un partenaire.

f _____ me voir si nécessaire.

apprendre   écrire   relire   venir   faire   réviser

En + present participle and impersonal verbs

- The present participle is used to:

  Show that two things are being done at the same time: *il prend son petit déjeuner **en regardant** la télé.*

  Translate the idea of 'by doing' something: *elle apprend le français **en lisant** des journaux.*

- It is formed using the *nous* part of the present tense. Remove the *-ons* and add *-ant.*

  *Nous travaillons travaill**ant***

  *Nous faisons fais**ant***

1 ★★ **Write sentences to show two things are being done at the same time.**

Exemple: Nous / boire un café / lire le journal = Nous buvons un café en lisant le journal.

a Il / s'habiller / écouter la radio

_____

b Je / parler au téléphone / regarder la télé

_____

c Elles / se maquiller / bavarder

_____

d Nous / parler ensemble / faire la vaisselle

_____

2 ★★★ **Complete the sentences, which explain ways to earn money, then add three more of your own.**

On peut gagner de l'argent …

a en _____
(*laver les voitures des voisins*)

b en _____
(*vendre des trucs sur eBay*)

c en _____
(*faire du jardinage*)

d en _____
(*livrer des journaux*)

e en _____

f en _____

g en _____

- Impersonal verbs are those which are used only in the third person singular. The most common is *il faut*, meaning 'you have to' or 'it is necessary to.'

3 ★★ **Decide which of these factors influence happiness and write sentences using *il faut*.**
Pour être heureux, …

a _____ être riche.

b _____ s'entendre bien avec sa famille.

c _____ avoir de bons amis.

d _____ être en bonne santé.

e _____ aimer son travail.

f _____ être beau / belle.

- Other impersonal verbs include:

  Il vaut mieux – it would be better to

  Il s'agit de - it's a question of, it's about

  Il manque – (something) is lacking, missing

  Il paraît que – it seems that

  Il semble que – it seems that

4 ★★★ **Translate into English.**

a Pour rester en forme, il vaut mieux faire de l'exercice.

b Il s'agit aussi de ce qu'on mange.

c S'il te manque des vitamines, tu seras toujours fatigué.

d Il paraît que les protéines sont importantes.

e Oui, mais il me semble que les fruits et les légumes sont tout aussi importants.

f Il s'agit aussi de dormir assez.

g Oui, et il faut aussi prendre du temps pour se détendre.

Revision of the present tense

1 ★★★ Translate into French.

1 I get dressed	
2 you (*tu*) don't buy	
3 you (*vous*) can	
4 he eats	
5 we finish	
6 he has	
7 I must	
8 you (*tu*) don't get up	
9 they (*m*) go	
10 you (*vous*) read	
11 we don't talk	
12 they (*f*) work	
13 I drink	
14 she wants to	
15 they (*f*) are enjoying themselves	
16 you (*tu*) see	
17 they (*m*) write	
18 he doesn't go	
19 you (*tu*) choose	
20 I do	
21 you (*vous*) decide	
22 we know	
23 she brushes her teeth	
24 you (*vous*) sleep	
25 they (*f*) play	
26 she is	
27 they (*m*) wait	
28 you (*tu*) put	
29 I open	
30 they (*m*) leave	
31 they (*f*) take	
32 we laugh	
33 she holds	
34 you (*vous*) go	
35 they (*f*) lose	
36 I revise	
37 he listens	
38 they (*m*) hope	
39 we sell	
40 he is called	

2 ★★★ Translate into French.

a I don't eat meat.

_____

b We no longer eat fish.

_____

c He never drinks alcohol.

_____

d No one eats that.

_____

e She buys nothing.

_____

3 ★★★ Fill in the gaps with a suitable verb from the box. They should be in the present tense.

Si vous (**a**) _____ la campagne, pourquoi ne pas prendre des vacances vertes cette année? C'(**b**) _____ beaucoup mieux pour l'environnement si vous ne (**c**) _____ pas loin, et surtout si vous ne (**d**) _____ pas en avion ou en voiture. Vous (**e**) _____ rejoindre votre destination à vélo? Si c'est trop loin, (**f**) _____ le train. Et si vous (**g**) _____ un camping ou un gîte rural, encore mieux!

partir   prendre   choisir   pouvoir   être aimer   voyager

La famille Legrand (**h**) _____ les vacances vertes. Cette année ils (**i**) _____ une petite maison dans le Massif Central et ils (**j**) _____ faire beaucoup de randonnées dans les montagnes. Ils (**k**) _____ aussi l'intention de manger des produits locaux et ils (**l**) _____ surtout protéger la nature, c'est-à-dire qu'ils (**m**) _____ tous leurs déchets à la poubelle, ils (**n**) _____ toujours les barrières et ils (**o**) _____ les animaux.

espérer   louer   avoir   préférer respecter   jeter   fermer   vouloir

The past tenses: the perfect tense of regular *avoir* verbs

- The perfect tense is a past tense. It can be translated in different ways. *J'ai fait* can be translated as 'I did', 'I have done' or 'I did do'.
- It is usually formed with part of *avoir* and a past participle.

1 ★ Match up the sentence halves, then write down what each means in English.

a	J'...	**1**	as fini ton voyage en bus?
b	Nous ...	**2**	a vendu son vélomoteur.
c	Il ...	**3**	ont changé de logement.
d	Ils ...	**4**	ai acheté une nouvelle voiture.
e	Vous ...	**5**	avez payé combien?
f	Tu ...	**6**	avons choisi un bon hôtel.

a ☐ **b** ☐ **c** ☐ **d** ☐ **e** ☐ **f** ☐

- The past participles of regular verbs are formed like this:

-er verbs	manger → mangé
-ir verbs	finir → fini
-er verbs	vendre → vendu

2 ★★ Write each sentence out in the correct order.

a visité / nous / Paris / avons

b centre-ville / réservé / un / père / a / appartement / mon / au

c mère / programme / choisi / tous les jours / ma / a / le

d tous les soirs / mangé / au / nous / restaurant / avons

e acheté / moi, / de / souvenirs / beaux / j'ai

3 ★★ Write out each sentence according to the prompts.

Qui a fait quoi pour la fête d'anniversaire?

a Moi / inviter tous mes amis

Exemple: Moi, j'ai invité tous mes amis.

b Vincent / préparer des sandwichs

c Samuel et Zak / acheter des boissons

d Laure / choisir la musique

e Mes sœurs / décorer le salon

f Ma mère / nettoyer la cuisine

g Mes parents / décider de sortir pour la soirée

h On / danser pendant des heures

i On / finir toutes les boissons

j Tout le monde / chanter "Bon Anniversaire".

4 ★★★ Translate into French.

a I ate the sandwiches.

b We finished the drinks.

c Who chose the music?

d Charlotte decorated the living room.

e We cleaned the kitchen.

f Audrey and David danced for hours.

g Lara bought beer.

h My friends sang "Happy Birthday".

The past tenses: the perfect tense of irregular *avoir* verbs

Many past participles of common verbs are irregular and have to be learned by heart.

1 ★★ **List the past participles from this text in the space provided, and complete the rest of the chart.**

Nous avons passé un week-end merveilleux en Normandie. Il a fait un temps superbe, et nous avons pu passer la plupart du temps à la plage. Heureusement, j'ai mis de la crème solaire, parce que le soleil était fort. C'était très relaxant: j'ai lu, j'ai écrit quelques cartes postales et j'ai dormi. À midi, on a mangé au café. En fait, je n'ai pas mangé beaucoup à cause de la chaleur, mais j'ai bu des litres d'eau et de jus d'orange. C'était bien de passer du temps en famille. On a parlé, on a ri et on a pris le temps d'écouter tout le monde. Oui, c'était vraiment un week-end super!

Regular past participles:

passé, _____

Irregular past participles:

past participle	meaning	infinitive
fait	did/was (weather)	faire

2 ★★★ **Translate into French.**

a We did some water-skiing.

_____

b My parents read a lot.

_____

c Did you write some postcards?

_____

d We drank lots of water.

_____

e I took a picnic.

_____

f Where did you put the sun cream?

_____

g Dad was able to catch* a fish.

_____

h The children laughed all day.

_____

*attraper

3 ★★ **Fill in the gaps with the correct past participle from the box, then complete the chart.**

Notre chien était en vacances avec nous. Il s'est bien amusé! Il a (**a**) _____ partout, il a joué avec son ballon et quand moi je me suis baigné, il m'a (**b**) _____ ! Il a très vite (**c**) _____ à nager! Quand il a (**d**) _____ des mouettes* il a essayé de courir après. Je lui ai (**e**) _____ que c'était ridicule, mais il n'a pas écouté. Il a (**f**) _____ manger notre pique-nique et il a même (**g**) _____ une des boîtes au sandwichs. Oui, il a certainement profité de ses vacances.

*seagulls

voulu	appris	dit	couru	vu	ouvert	suivi

past participle	meaning	infinitive
voulu	wanted	vouloir
h	said	
i	ran	
j	opened	
k	learned	
l	followed	
m	saw	

4 ★★★ **Translate into French.**

a Did you see the dog on the beach?

b He ran really fast into the sea.

c He wanted to swim!

d He also wanted to chase seagulls.

e He learned that this is impossible.

f I said it was mad.

g But he didn't listen.

5 ★★★ *Avoir* or *être*? Fill in the gaps with the correct past participle (*eu* or *été*), then translate the sentences into English.

a J'ai _____ froid.

_____

b Je crois qu'il a _____ raison.

_____

c Elle a _____ abandonnée.

_____

d Nous avons _____ très soif.

_____

e Ils ont _____ surpris par le résultat du match.

_____

f Tu as _____ de la fièvre?

_____

6 ★★ Circle all the past participles which are irregular.

| décidé eu fait mangé lu parlé fini dit |
| voulu pu ouvert vendu dormi bu pris |
| écrit perdu attendu ri choisi couru |

7 ★★ Complete each sentence with a past participle from the box.

a J'ai _____ quelques bandes dessinées.

b Tu as _____ un peu de ski?

c Il a _____ une lettre à sa grand-mère.

d Ils ont _____ deux litres de coca.

e Elle a _____ 20 kilomètres!

f Nous avons _____ parce que c'était amusant.

8 ★★★ Translate into French.

a They put the money in the bag. _____

_____

b She said she was tired. _____

_____

c Did you see the film? _____

_____

d We took the flowers to the hospital. _____

_____

e They opened the letter. _____

_____

f We followed the others. _____

_____

9 ★★ Translate into French. There is a mix of regular and irregular past participles.

a I read _____

b we saw _____

c you decided (*tu*) _____

d they chose (*masc*) _____

e she opened _____

f I sold _____

g you sang (*vous*) _____

h he said _____

i you wrote (*tu*) _____

j she put _____

k I took _____

l they ate _____

m you followed (*vous*) _____

n they had (*fem*) _____

o she lost _____

p you learned (*tu*) _____

q they did (*masc*) _____

r he finished _____

s I laughed _____

t you decorated (*vous*) _____

The past tenses: the perfect tense of *être* verbs

TIP

- Some verbs use *être*, not *avoir,* as the auxiliary in the perfect tense.

1 ★★ Copy the verbs which use *être* in the perfect tense and write an English translation for each.

Samedi, je suis allé en ville parce que je voulais acheter un cadeau pour l'anniversaire de mon meilleur copain. Je suis parti assez tôt et j'ai pris le bus. Je suis arrivé au centre-ville vers neuf heures. J'ai regardé dans deux ou trois magasins, mais je n'ai rien trouvé. J'étais un peu déçu et je suis entré dans le magasin de sport sans beaucoup d'espoir. Mais tout d'un coup, j'ai eu une idée. Je pourrais lui offrir un billet pour un match de foot. Le cadeau parfait pour lui! Donc, je suis rentré à la maison très content.

je suis allé – I went

_____

_____

_____

2 ★★ Copy out the 12 verbs from the box which take *être* in the perfect tense and write the past participle next to each infinitive.

aller	arriver	faire	décider	sortir
partir	acheter	venir	entrer	regarder
écouter	monter	lire	descendre	boire
tomber	naître	voir	mourir	avoir	rester	être

aller – allé _____ _____

_____ _____ _____

_____ _____ _____

_____ _____ _____

3 ★★ Match the sentence halves.

a	je	**1**	est mort
b	tu	**2**	sont partis
c	il	**3**	suis venu
d	nous	**4**	es arrivé
e	vous	**5**	sommes descendus
f	ils	**6**	êtes tombés

a ☐ b ☐ c ☐ d ☐ e ☐ f ☐

4 ★★★ Fill in the gaps with the correct auxiliary verb. Be careful – there is a mix of *avoir* and *être* verbs!

Mathieu (**a**) _____ arrivé en retard le premier jour de son stage. Il (**b**) _____ parti à l'heure, mais le bus était en panne et il (**c**) _____ dû attendre une heure. Le patron (**d**) _____ compris et n'était pas trop fâché. Mais à midi il (**e**) _____ sorti "pour cinq minutes, chercher un sandwich" et il (**f**) _____ revenu une heure plus tard. Il (**g**) _____ allé manger son sandwich au parc, où il (**h**) _____ rencontré trois copains et il (**i**) _____ donc resté là, à bavarder avec eux. Il (**j**) _____ même fait un peu de skateboard et malheureusement il (**k**) _____ tombé. Il (**l**) _____ rentré au bureau stressé et ensanglanté.* On n'était pas content de lui!

*bleeding

TIP

- When using *être* in the perfect tense, you need to make sure the past participle agrees with the subject of the verb.

    Add an –*e* if the subject is feminine.

    Add an –*s* if the subject is plural.

    Add –*es* if the subject is feminine and plural.

5 ★★★ Add agreements where necessary.

a Nous sommes arrivé_____ en retard.

b Elle est parti_____ à l'heure.

c Il est revenu_____ tout de suite.

d Tu es tombé_____ Mathieu?

e Ils sont descendu_____ très vite.

f Elle n'est pas arrivé_____.

g Il est né_____ en janvier.

h Elles sont sorti_____ samedi soir.

6 ★★ Underline all the examples of the perfect tense with *avoir* in one colour and those of the perfect tense with *être* in another.

– Tu as lu ce livre?

– Non, il est intéressant?

– Oui, il s'agit d'un petit garçon qui est allé dans une école pour sorciers.

– Ah, bon?

– Oui, il y est arrivé très jeune et il est resté longtemps.

– Qu'est-ce qu'il a appris?

– Toutes sortes de choses! Par exemple, on lui a montré comment préparer les potions magiques. Et il a volé sur un manche à balai.

– C'est vrai? Est-ce qu'il est tombé?

– Non, il était super. Il était le héros du match de quidditch et grâce à lui, son équipe a gagné.

– C'était donc la fin de l'histoire?

– Ah non, pas du tout. Il a dû lutter contre les mauvaises forces. C'était son destin, parce qu'il est né avec une cicatrice et ses parents sont morts dans un accident et puis …

7 ★★★ Translate into French.

a Harry went to Hogwarts at the age of 11. _____

_____

b He learned how to make magic potions. _____

_____

c Hermione came to the school too. _____

_____

d They stayed at Hogwarts for about* 7 years. _____

_____

e Ron and Hermione often returned home for the

holidays. _____

_____

f But sometimes Harry stayed at school. _____

_____

g His parents died when he was a baby. _____

_____

*environ

8 ★★ Fill in the gaps with a suitable word from the box.

J'ai (**a**) _____ un peu de tout à Paris. Je

(**b**) _____ monté à la tour Eiffel, je suis

(**c**) _____ dans les égouts* et j'ai

(**d**) _____ tous les quartiers célèbres comme

Montmartre et Beaubourg. On (**e**) _____ fait un

tour en bateau-mouche et comme c'était le soir, on a

(**f**) _____ la tour Eiffel toute illuminée. Un jour,

on (**g**) _____ allés au musée Grévin, où on peut

voir beaucoup de personnages en cire** et on a

(**h**) _____ ravis. Au musée du Louvre, c'était

fascinant, mais il y avait des milliers et des milliers de

tableaux et on n'(**i**) _____ pas tout vu. On

(**j**) _____ sortis après trois heures. Mes parents y

sont (**k**) _____ le lendemain, mais moi, j'ai

(**l**) _____ passer du temps dans les magasins du

quartier. J'(**m**) _____ acheté un T–shirt comme

souvenir et j'ai (**n**) _____ des cartes postales à

mes amis. Je les ai (**o**) _____ à la poste le

dernier jour et elles sont (**p**) _____ en

Angleterre trois jours après notre retour!

*sewers **waxworks

> visité arrivées a préféré est mises
> ai fait été suis retournés
> envoyé a descendu vu est

9 ★★★ Fill in the gaps with a suitable word.

Les soirées à Paris étaient très amusantes. On

(**a**) _____ allés plusieurs fois au Quartier latin, et

on (**b**) _____ mangé dans des restaurants

différents. Par exemple, une fois, mon père a

(**c**) _____ un restaurant tunisien où nous

(**d**) _____ pris des brochettes et du couscous.

Mes parents (**e**) _____ aussi aimé un petit bistro

tout au milieu du quartier et nous y sommes

(**f**) _____ deux fois. Le garçon nous a reconnus

et (**g**) _____ dit "Merci d'être revenus."

The past tenses: the perfect tense of reflexive verbs

TIP

- All reflexive verbs take *être* in the perfect tense. To form the perfect tense of a reflexive verb, follow this pattern:
  Pronoun→ reflexive pronoun → part of *être* → past participle:

  Je me suis levé

- As with all other *être* verbs, agreement is needed if the subject is feminine, plural or both.

1 ★★ **Underline all the examples of reflexive verbs in the perfect tense.**

Ce matin, j'étais encore en retard. Je me suis réveillé à sept heures, mais je ne me suis pas levé tout de suite! Pourquoi? Parce que je voulais écouter mon iPod et rester au chaud! Après une demi-heure, je me suis levé et je me suis très vite douché. Je me suis habillé en écoutant encore de la musique, puis j'ai dû prendre mon petit déjeuner en trois minutes – juste le temps d'avaler* une tartine! Pour finir, je me suis vite brossé les dents et j'ai quitté la maison pour courir à l'arrêt d'autobus.

*to swallow

2 ★★★ **Use the language in activity 1 to help you translate these sentences into French.**

a I woke up at six o'clock.

b I got up straight away.

c I got washed and listened to the radio in the bathroom.

d I got dressed in my bedroom.

e I ate cereal and toast, then brushed my teeth.

3 ★★ **Re-arrange the words to form sentences in the perfect tense.**

a me / tard / réveillé / suis / ce / je / matin

Je _____

b à / levé / tu / quelle / t'es / heure?

_____

c s'est / brossé / dents / elle / les

_____

d sommes / habillés / nous / au / nous / salon

_____

e êtes / vous / à / douché / piscine / la / vous

_____

4 ★★ **Translate the sentences from activity 3 into English**

5 ★★ **Match the sentence halves.**

a Je me	1 sommes brossé les dents.
b Tu t'	2 est réveillée très tôt.
c Elle s'	3 suis douché après la course.
d Nous nous	4 sont préparés pour le voyage.
e Vous vous	5 êtes couchés à quelle heure?
f Ils se	6 es levé trop tard.

a☐ b☐ c☐ d☐ e☐ f☐

6 ★★★ **Write sentences in the perfect tense, based on the prompts, then translate them into English.**

a Elle / se réveiller tard _____

b Nous / se lever / à dix heures du matin _____

c Vous / se lever / après nous _____

d Ils / se laver / dans la rivière _____

e Je / s'habiller / avant le petit déjeuner _____

f Vous / se doucher / à l'hôtel _____

g Elles / se peigner / à la discothèque _____

h Tu / se coucher / de bonne heure _____

The past tenses: the perfect tense of modal verbs

TIP

- The modal verbs use *avoir* in the perfect tense and are followed, as usual, by a verb in the infinitive. The past participles are all irregular: *pu, dû, voulu*.

1 ★★ **Translate into English.**

a Je n'ai pas voulu sortir ce soir.

_____

b Hier, j'ai dû rester à la maison.

_____

c Tu as pu téléphoner à ton amie?

_____

d Qui a voulu voir ce film?

_____

e J'ai dû écrire plusieurs lettres aujourd'hui.

_____

f Nous n'avons pas pu trouver le restaurant.

_____

2 ★★ **Fill in the gaps with a suitable past participle. Choose from *dû, voulu* or *pu*.**

Lars: Je voulais aller en ville hier, mais je n'ai pas

_____ parce que j'ai _____ m'occuper de

mon petit frère.

Émilie: Moi, j'ai _____ faire du baby-sitting hier

soir. Donc je n'ai pas _____ aller à la boum. Quel

dommage.

Sandrine: J'ai _____ sortir avec mes amis parce

que j'avais fini tous mes devoirs. Mais d'abord, j'ai

_____ passer l'aspirateur pour aider ma mère.

Matthieu: Moi, je n'ai pas _____ aller à la

discothèque. Je n'aime pas ça!

Hichim: J'ai _____ faire mon petit boulot, puis

j'ai _____ passer voir mes grands-parents. Donc,

je n'ai pas _____ venir te voir.

Questions in the perfect tense

TIP

- Use the same ways to form questions as in the present tense:
  Use your voice to make it sound like a question:
    Tu as déjà vu le film?
- Turn the verb and subject round:
    As-tu déjà vu le film?
- Use *est-ce que* as a question tag:
    Est-ce que tu as vu le film?
- Use a question word:
    Où as-tu vu le film?

1 ★★ **Fill in the gaps with a suitable word or phrase.**

Hé, Marine, c'était comment, la boum?

(**a**) _____ amusant? Tu y es allée avec qui ? Tu

as dansé pour (**b**) _____ de temps et avec

(**c**) _____ ? (**d**) _____ tu as bu quelque

chose? Il y avait quelque chose à manger? Tu es

arrivée à (**e**) _____ heure et tu (**f**) _____

restée combien de temps? (**g**) _____ –tu mis ta

nouvelle robe? Elle est de quelle couleur? Et (**h**)

_____ as pris quel sac? Tu (**i**) _____

entendu? Alors, pourquoi n'as-tu (**j**) _____

répondu? Hein?

2 ★★★ **You want to know all about your friend's recent holiday. Write out the questions you will need to ask in French.**

a Where did you go?

b Who did you go with?

c Where did you stay?

d What did you do?

e Did you go out in the evenings?

f How long did you stay there?

g Did you like it?

h Did you buy any souvenirs?

The past tenses: negatives in the perfect tense

- When using a negative with the perfect tense, put *ne* before the auxiliary and *pas* after it.

1 ★★ **Rewrite each sentence in the negative.**
Tout le monde était malade, donc …

a Maman a fait la cuisine.

_____

b Papa a passé l'aspirateur.

_____

c Moi, j'ai nettoyé la salle de bains.

_____

d Mes frères ont travaillé dans le jardin.

_____

e Nous sommes allés faire les courses.

_____

f Mes grands-parents sont venus nous rendre visite.

_____

2 ★★ **Write sentences to explain the things the pupils didn't do.**
Exemple: Béatrice / finir les devoirs = Béatrice n'a pas fini les devoirs.

a Camille / lire les textes

_____

b Florian / écouter le dialogue

_____

c Julie et Honoré / écrire la rédaction*

_____

d Zak / préparer sa présentation

_____

e Fatima et Laura / faire leurs corrections

_____

f Hashim / apprendre le vocabulaire pour l'épreuve**

_____

*essay **test

- With reflexive verbs in the perfect tense, put *ne* before the reflexive pronoun and *pas* after the auxiliary verb.
  *Je **ne** me suis **pas** levé de bonne heure.*

3 ★★★ **Everyone got up late this morning. Write sentences to explain what they didn't do.**
Exemple: Maman / se réveiller à six heures = Maman ne s'est pas réveillée à six heures.

a Papa / se lever à six heures trente _____

_____

b Moi, je / se doucher _____

_____

c Mes frères / se laver _____

_____

d Nous / se brosser les dents _____

_____

e Mes grands-parents / se reposer _____

_____

- Some other negative forms work in the same way as *pas*. When using *plus, jamais* or *rien,* put *ne* before the auxiliary and whichever negative you are using before the past participle, e.g. *Je **n'ai rien** fait.*

4 ★★ **Match the sentence halves.**

a Je	**1**	ne s'est jamais levée de bonne heure.
b Ils	**2**	n'ont plus visité la ville.
c Vous	**3**	n'as rien trouvé?
d Elle	**4**	n'êtes jamais allé en Afrique?
e Nous	**5**	n'ai rien fait ce matin.
f Tu	**6**	ne sommes plus allés le voir.

a☐ **b**☐ **c**☐ **d**☐ **e**☐ **f**☐

5 ★★ **Translate the sentences from activity 4 into English.**

The past tenses: The *après avoir* and *après être* construction

TIP

- You can translate the idea of 'after having done something' using a perfect infinitive. It is formed using *après avoir* or *après être* and a past participle.

  Après avoir fini ses devoirs, elle est sortie.
  Après être arrivés, ils ont dit bonjour à tout le monde.

1 ★★★ Translate into English.

a Après avoir vu l'accident, elle était bouleversée*.

_____

b Après avoir vu les victimes, elle a appelé la police.

_____

c Après être allée au commissariat, elle a donné son témoignage.** _____

_____

d Après être retournée chez elle, elle a téléphoné à ses parents. _____

_____

e Après avoir bu un café fort, elle allait un peu mieux.

_____

*very upset **witness statement

2 ★★★ Fill in the gaps with *avoir* or *être* as appropriate.

a Après _____ sorti jusqu'à minuit, il était fatigué.

b Après _____ rentré, il a préparé un en-cas.

c Après _____ préparé son en-cas, il l'a mangé devant la télé.

d Après _____ regardé deux heures de télévision, il s'est couché.

e Après s'_____ couché, il a dormi quatorze heures.

3 ★★★ Translate into French.

a After sleeping for fourteen hours, he was tired.

b After eating breakfast, he went out.

c After going out, he met his friends.

Translating the perfect tense into English

TIP

- There are several ways to translate the perfect tense into English.

  Ils ont fait la cuisine can be translated as:
  They cooked *or*
  They **have** cooked.

- Choose the one which sounds most natural in English.

  Ils ont nettoyé la maison, puis ils ont fait la cuisine. =
  They cleaned the house and then they cooked.

  Ils n'ont pas eu le temps de nettoyer la maison, mais ils ont fait la cuisine. = They didn't have time to clean the house, but they did do the cooking.

1 ★★ Decide whether 1 or 2 is the most natural translation for each sentence.

a Qu'est-ce que tu as fait quand tu as vu l'accident?

   1 What have you done when you saw the accident? ☐

   2 What did you do when you saw the accident? ☐

b Qu'est-ce que tu as acheté au marché?

   1 What have you bought at the market? ☐

   2 What bought you at the market? ☐

c Hier, j'ai préparé tous les repas.

   1 Yesterday, I prepared all the meals. ☐

   2 Yesterday, I have prepared all the meals. ☐

2 ★★★ Translate into English.

a On est allés au zoo hier.

_____

b Qu'est-ce que tu as vu?

_____

c J'ai vu plusieurs espèces de chameaux.*

_____

d Vraiment? Moi, je n'ai vu qu'une espèce de chameau.

_____

e Les chameaux qu'on a vus étaient assez rares.

_____

*camels

Le soir, maman et papa ont fait des barbecues pour les voisins et moi j'(**i**) _____ amuser leurs petits enfants. Ce n'était pas très relaxant! On (**j**) _____ au restaurant une seule fois!

Revision of the perfect tense

- When using the perfect tense, think about *avoir* and *être* verbs, about regular and irregular past participles and about whether agreement is needed.

1 ★★ **Complete the passage with the suggested verb in the perfect tense.**

On (**a**) _____ (*passer*) de merveilleuses vacances en famille au bord de la mer en Vendée. Nous (**b**) _____ (*prendre*) la voiture, bien sûr, et le voyage s'est très bien passé. Le premier jour on (**c**) _____ (*s'installer*) dans le gîte, puis tous les jours suivants on (**d**) _____ (*aller*) à la plage avec un pique-nique. Les enfants (**e**) _____ (*jouer*) au ballon, ils (**f**) _____ (*se baigner*) et ils (**g**) _____ (*bien s'amuser*). Plusieurs fois, nous (**h**) _____ (*faire*) un barbecue et invité les voisins et le dernier soir, nous (**i**) _____ (*aller*) au restaurant. C'était très calme et nous (**j**) _____ (*apprécier*) le manque de stress. Oui, je me suis vraiment bien reposée!

2 ★★★ **Complete the passage with a suitable verb in the perfect tense.**

Alors, les vacances? Pas un grand succès! D'abord on (**a**) _____ des heures et des heures pour arriver en Vendée. Le premier jour on n'(**b**) _____ rien _____ parce que maman (**c**) _____ tout organiser dans le gîte. Quelle barbe! Puis on (**d**) _____ des jours entiers à la plage, ce qui n'était pas très intéressant. Qu'est-ce que j'(**e**) _____ ? J'(**f**) _____ un peu de foot avec mon petit frère, j'(**g**) _____ quelques minutes dans la mer, mais l'eau était toujours froide, et j'(**h**) _____ des sandwichs interminables.

3 ★★★ **Translate the following sentences into French.**

a We spent two weeks in Vendée.

_____

b Mum and Dad hired a gîte.

_____

c We spent lots of time on the beach.

_____

d My brother played football.

_____

e I didn't swim because the water was cold.

_____

_____

f I read a few books and sent loads of texts*.   *textos

_____

_____

g In the evenings we stayed at the gîte and invited the neighbours.

_____

_____

h On the last evening we went to a restaurant and came home late.

_____

_____

The imperfect tense

TIP

- The imperfect is a past tense which is used for a number of reasons, for example to describe:
    1. what something was like
    2. what used to happen
    3. what happened frequently
    4. what someone was doing

1 ★★ For each sentence, decide which of the four reasons for using the imperfect tense is the relevant one and write 1, 2, 3 or 4 on the line. Sometimes more than one reason applies.

a Notre maison de vacances était très mignonne*. _____

b On y allait deux ou trois fois par an. _____

c On y allait toujours avec les grands-parents. _____

d Le ciel était bleu tous les jours. _____

e Quand mon père y faisait du jardinage, il était content. _____

f On préférait manger dehors dans le jardin. _____

g On faisait souvent un pique-nique en pleine campagne. _____

h Le soleil brillait toujours quand on se baignait. _____

i La mer était tiède – quel plaisir! _____

j On passait des heures chaque jour à la plage. _____

*sweet

2 ★ Circle the imperfect verbs in the sentences.

a Pendant les vacances j'ai fait / je faisais de la natation presque tous les jours.

b J'allais souvent / je suis souvent allé à la piscine municipale.

c S'il a fait / faisait chaud, je retrouvais / j'ai retrouvé souvent mes amis.

d On a nagé / nageait pendant des heures.

e Quelquefois, on a emporté / on emportait un pique-nique.

f On a mangé / mangeait souvent sous les arbres.

3 ★★ Translate the sentences from activity 2 into English.

TIP

- The imperfect is formed using the *nous* form of the present tense (*nous travaill~~ons~~*) and adding these endings:

je travaill**ais**	nous travaill**ions**
tu travaill**ais**	vous travaill**iez**
il/elle/on travaill**ait**	ils/elles travaill**aient**

4 ★★ Match up the sentence halves.

Lorsqu'on vivait à Paris ...

a je   1 aviez un appartement de luxe?

b tu   2 habitais rue Mouffetard?

c elle   3 allions souvent nous promener le long de la Seine.

d nous   4 voyageaient partout par le métro.

e vous   5 faisait des achats sur les Champs-Élysées.

f ils   6 voulais toujours habiter à la campagne.

a ☐ b ☐ c ☐ d ☐ e ☐ f ☐

TIP

- When forming the imperfect tense, be careful with the verbs which are irregular in the present tense and whose imperfect stem is therefore also irregular.

    Nous faisons → je faisais

- The verb *être* does not follow the rule for forming its imperfect stem (*j'étais* – I was), although the endings are as you would expect: *tu étais, il/elle était, nous étions, vous étiez, ils/elles étaient.*

5 ★★ Write out the correct imperfect tense.

a je / parler   _____

b nous / jouer   _____

c il / faire   _____

d ils / choisir   _____

e tu / avoir   _____

f elle / être   _____

g on / aller   _____

h vous / attendre   _____

6 ★★ Complete each sentence with the correct imperfect of the suggested verb, then translate the sentences into English.

Quand grand-mère était petite fille, ...

a Elle _____ à la même école que ses parents. (*aller*)

b Elle _____ dans la rue avec ses copains. (*jouer*)

c Il n'y _____ presque pas de voitures dans le village. (*avoir*)

d Elle _____ des tartines pour le déjeuner. (*manger*)

e Elle _____ du lait pour le petit déjeuner. (*boire*)

f Elle _____ des bonbons tous les samedis. (*acheter*)

g Elle ne _____ pas la télévision. (*regarder*)

7 ★★ Paul has gone 'green'. Write sentences to explain what he used to do or not do.

Exemple: Maintenant, il recycle ses journaux.
        Autrefois, il ne recyclait pas ses journaux.

a Il recycle ses boîtes à conserve.

Autrefois, _____

b Il ne laisse pas ses déchets par terre.

Autrefois, _____

c Il se douche au lieu de* prendre un bain   *instead of

Autrefois, _____

d Il emporte ses bouteilles au centre de recyclage.

Autrefois, _____

e Il ne gaspille pas l'eau et l'électricité.

Autrefois, _____

f Il baisse le chauffage central.

Autrefois, _____

g Il ferme le robinet quand il se brosse les dents.

Autrefois, _____

h Il achète des produits bio.

Autrefois, _____

i Il ne voyage pas beaucoup en avion.

Autrefois, _____

j Il plante des arbres.

Autrefois, _____

8 ★★★ Fill in the gaps with the imperfect form of a verb from the box below.

Quand j'(**a**) _____ étudiante, j'habitais avec une copine, Lisa. Elle (**b**) _____ toujours préparer les repas, mais elle n'(**c**) _____ pas douée* pour la cuisine! Elle (**d**) _____ des ingrédients bizarres et (**e**) _____ d'en faire quelque chose. Elle (**f**) _____ avant tout les panais** et (**g**) _____ souvent un "gâteau aux panais". Puis, elle (**h**) _____ l'habitude de préparer des repas énormes et on (**i**) _____ manger les restes pendant des jours et des jours. Heureusement, elle (**j**) _____ souvent chez elle le week-end et je (**k**) _____ donc préparer ce que j'aimais. Alors, le week-end, je (**l**) _____ plutôt des crêpes et des sandwichs!

*gifted   **parsnips

| acheter aimer manger devoir avoir être |
| pouvoir faire rentrer essayer vouloir |

9 ★★★ Complete the description of the campsite with the imperfect tense of a suitable verb.

C'était un joli petit camping, tout près d'une rivière et d'une forêt. Il y (**a**) _____ environ trente emplacements et un bloc sanitaire. Il y avait aussi un petit kiosque, où on (**b**) _____ acheter quelques provisions. Ils ne (**c**) _____ pas de tout, mais si on (**d**) _____ du pain, du beurre ou du lait, c'(**e**) _____ parfait! Il y avait aussi un terrain de jeux pour les petits et une pataugeoire* où les moins de dix ans (**f**) _____ s'amuser. Mais, on ne (**g**) _____ pas grand-chose aux ados. Si on (**h**) _____ se promener dans la forêt ou se baigner dans la rivière, ça (**i**) _____ mais si on (**j**) _____ aller en boîte ou faire du shopping, ce n'(**k**) _____ pas idéal!

*paddling pool

Using the perfect and imperfect tenses together

- Often, a text will use both the perfect tense and the imperfect tense.
  The perfect tense is used to describe single, completed actions.
  The imperfect tense is used for descriptions in the past tense, or to say what used to happen, happened frequently or was happening.

1 ★★ **Read the text, then fill in the chart.**

J'aimais toujours rendre visite à ma tante Rose. Elle habitait une petite maison en pleine campagne. Et elle avait des poules dans le jardin. Elle était toute petite, aux longs cheveux frisés. Elle adorait les enfants. Un jour, j'étais assise dans sa cuisine et on bavardait ensemble, quand tout d'un coup quelqu'un a frappé* à la porte. C'était le voisin, qui a dit "Vous n'avez pas vu ma femme? Elle est partie tôt ce matin pour aller au marché et elle n'est pas revenue." Il avait l'air très inquiet. En fait, sa femme n'est jamais revenue. Elle est partie vivre à Paris parce qu'elle s'ennuyait à la campagne. Et ma tante? Quelques années plus tard, elle s'est mariée avec le voisin!   *knocked

Copy out five examples of the imperfect tense and translate them into English.

J'aimais toujours	I always liked

Copy out five examples of the perfect tense and translate them into English.

2 ★★ **Translate these sentences into English**

a Quand il est arrivé, je regardais un film.

b Je quittais la maison quand le téléphone a sonné.

c Nous voyagions en avion quand il y a eu un orage.

d Quand il a commencé à pleuvoir, je me promenais au bord de la rivière.

e Le voleur* est entré pendant que je dormais.

*thief

- It improves your writing if you show you can handle the perfect and imperfect tenses together. Use the perfect tense to describe what people did and use the imperfect to add descriptions or give opinions.

3a ★★ **Make notes for a description of a day out by writing out the sentences suggested by the prompts. Use the perfect tense.**

Exemple: décider de / visiter Bruxelles = L'année dernière, nous avons décidé de visiter Bruxelles.

a partir en train / tôt le matin

_____

b d'abord / aller à la Grand–Place

_____

c visiter un monument qui s'appelle l'Atomium

_____

d à midi / aller au restaurant

_____

e manger des frites à la mayonnaise

_____

3b ★★ **Now include some examples of the imperfect tense. Complete these sentence beginnings in your own words.**

a Il faisait _____

b Il y avait _____

mais il n'y avait pas de _____

c J'aimais surtout _____

d Par contre, je n'aimais pas du tout _____

e La journée était _____

3c ★★★ **Write out a complete version of the story, including a good mix of the perfect and the imperfect tenses.**

The pluperfect tense

- The pluperfect tense is used to say what you **had** done. It describes an action or event which had taken place before some other event in the past.
- It is formed like the perfect tense, using *avoir* or *être* as an auxiliary verb, plus a past participle. The difference is that you use the imperfect tense of *avoir* or *être*, rather than the present:

  J'avais oublié   **I had** forgotten

  J'étais allé   **I had** gone.

- The same rules of agreement apply as in the perfect tense.

1 ★★ **Match up the sentence halves.**

a Elle est arrivée en retard parce qu'elle

b Nous ne sommes pas venus, parce que

c Le match a été annulé*, parce que   *cancelled

d J'ai raté le bus parce que

e Il a fait une grande erreur, parce qu'il

f Elles n'ont pas fait leurs devoirs parce qu'elles

1 nous avions perdu la carte.

2 n'avait pas compris l'explication.

3 plusieurs joueurs étaient tombés malades.

4 avaient complètement oublié.

5 était tombée en panne sur l'autoroute.

6 je m'étais réveillé en retard.

a ☐ b ☐ c ☐ d ☐ e ☐ f ☐

2 ★★ **Now translate the sentences from activity 1 into English.**

3 ★★ **Fill in the gaps with the appropriate auxiliary verb. Do you need a part of *avoir* or *être*? Remember to use the imperfect tense.**

a Il voulait acheter un ballon, mais il _____ oublié son argent.

b Elle s'est perdue parce qu'elle n'_____ jamais visité cette ville.

c Ils ont mangé des sandwichs parce qu'ils n'_____ pas pu trouver le restaurant.

d C'était sa première visite à Madrid, mais elle _____ déjà allée plusieurs fois en Espagne.

e Elle marchait avec des béquilles, parce qu'elle _____ eu un accident de ski.

f Nous sommes arrivés en retard parce que nous _____ partis trop tard.

4 ★★ **Translate the sentences from activity 3 into English.**

5 ★★ **Join each pair of sentences together using *parce que*, and following the pattern of tenses in the example.**

Exemple: Elle a voulu aller à la boum. / Elle a acheté une nouvelle robe. = Elle a voulu aller à la boum parce qu'elle avait acheté une nouvelle robe.

a Il a acheté un cadeau pour sa mère. / Elle a été malade.

_____

_____

b Elles ont visité Salzburg. / Elles ont gagné un voyage en Autriche.

_____

_____

c Nous ne sommes pas allés au concert. / Nous avons oublié d'acheter des billets.

_____

_____

d On m'a très bien payé / J'ai travaillé dur.

_____

_____

e J'ai trouvé la visite intéressante. / Je ne suis jamais allé à l'étranger.

_____

_____

6 ★★★ **Translate into French.**

a She had never been to Rome.

b We had not seen the family.

c They had not opened their presents.

d I was tired because I had gone to bed very late.

Revision of the past tenses

TIP

- The perfect tense describes a single, completed action.
- The imperfect tense is used for descriptions, repeated actions or to say what was happening.
- The pluperfect tense describes what **had** happened.

1 ★★ Read the text and highlight the underlined sections in three different colours:

– red for the perfect tense;

– blue for the imperfect tense;

– green for the pluperfect tense.

Il (**a**) <u>faisait</u> froid, il faisait nuit, mais le réveille-matin de Mattéo (**b**) <u>a sonné</u>. Il (**c**) <u>ne s'est pas réveillé</u> tout de suite, mais après dix minutes il (**d**) <u>a regardé</u> l'heure – quatre heures du matin! Il (**e**) <u>devait</u> se lever. Aujourd'hui, il (**f**) <u>allait</u> partir pour la Tunisie et sa mère lui (**g**) <u>avait dit</u> qu'ils (**h**) <u>devaient</u> quitter la maison avant cinq heures pour aller à l'aéroport. Deux minutes plus tard, il (**i**) <u>s'est levé</u> et (**j**) <u>est allé</u> dans la salle de bains. Après une douche très rapide, il (**k**) <u>a mis</u> les vêtements qu'il (**l**) <u>avait choisis</u> la veille.* Il ne (**m**) <u>voulait</u> rien manger à cette heure, mais il (**n**) <u>a bu</u> un jus d'orange, puis il (**o**) <u>a vérifié</u> ses documents importants – passeport, billet d'avion, cartes, réservation d'hôtel. Sa valise (**p**) <u>était</u> déjà faite, son sac à dos aussi. Sa mère (**q**) <u>est descendue</u> à la cuisine et après avoir échangé quelques mots, ils (**r**) <u>ont pris</u> les bagages et (**s**) <u>sont sortis</u> de la maison. Mattéo (**t**) <u>a regardé</u> une dernière fois autour de lui, puis il (**u**) <u>est monté</u> dans la voiture. Il (**v**) <u>espérait</u> qu'il (**w**) <u>n'avait rien oublié</u>!   *the night before

2 ★★★ Translate each underlined section from activity 1 into English.

3 ★★ Find the perfect infinitive construction in the text and copy it here.

_____

4 ★★★ Translate these sentences into French.

a Mattéo got up at about four o'clock.

b He had already packed his case.*

c His mother wanted to leave the house before five o'clock.

d Mattéo spent five minutes in the bathroom.

e He ate nothing, but he drank an orange juice.

f He wasn't hungry at that hour!

g He had already checked all his important documents.

h He took his luggage and left the house.

i The suitcase was heavy and weighed** 28 kilos.

j They left the village and took the road to the airport.

*faire sa valise   **peser

5 ★★ Fill in the gaps, putting the verbs in brackets into an appropriate tense.

C'était la veille du festival de musique. Lucie avait déjà acheté son billet, mais ses amis (**a**) _____ (oublier). Elles (**b**) _____ (aller) tout de suite à l'office de tourisme et (**c**) _____ (demander) s'il y (**d**) _____ (avoir) encore des billets à acheter. Heureusement que oui! Les trois filles devaient faire beaucoup de choses pour se préparer. Lucie (**e**) _____ (aller) chercher sa tente dans le garage et puis elle l'a nettoyée. Claire et Anna-Lise sont allés au supermarché acheter des provisions. Elles (**f**) _____ (choisir) quelques paquets de soupe, des raisins et d'autres fruits secs. Elles n'(**g**) _____ (acheter) de boissons, mais elles (**h**) _____ (prendre) des pastilles Aquatab!* Elles (**i**) _____ (retourner) chez Lucie. Celle-ci (**j**) _____ (se reposer) un peu dans le jardin et (**k**) _____ (écouter) de la musique. Les trois (**l**) _____ (passer) l'après-midi à faire leurs sac à dos et puis elles (**m**) _____ (se coucher) de bonne heure. Elles (**n**) _____ (aller) partir tôt le lendemain. Elles (**o**) _____ (espérer) qu'elles (**p**) _____ tout _____ (faire). Le lendemain, il (**q**) _____ (faire) un temps super et elles (**r**) _____ (être) toutes les trois très contentes.

*water purification tablets

The immediate future

- Remember that you can use the present tense to refer to the future if you are talking about something which is going to happen soon, especially if you use a time phrase to make it clear when you mean:
  Samedi, je rentre chez moi.
  On Saturday, I am going home.

1 ★ Write out how these people will describe their plans for the weekend.
Exemple: Vendredi soir / rester chez moi = Vendredi soir, je reste chez moi.

a Samedi matin / rester au lit

b Samedi à quatorze heures / aller au centre commercial

c Samedi soir / sortir en boîte

d Ce week-end / ne rien faire

e Dimanche après-midi / faire la cuisine

f Dimanche soir / inviter des amis

- To talk about the immediate future, you can use *aller* plus an infinitive:
  Je vais partir tôt le matin
  I am going to leave early in the morning.

2 ★★ Write each sentence out in the correct order, then translate them into English.

a des / match / pour / je / acheter / le / vais / billets

b carte / mon / nous / va / envoyer / une / copain

c le / nous / trouver / stade / j'espère / allons / que

d à / heures / va / le / trois / match / commencer

e va / donc / cinq / vers / il / finir / le / quart / moins / heures

f nous / j'espère / gagner / que / allons

g on / après / au / aller / restaurant / va

h rentrer / vers / du / heures / nous / dix / soir / allons

3 ★★ Write out the sentences which are suggested by the prompts, using the immediate future. Translate them into English.
Exemple: Nous / visiter un parc d'attractions = Nous allons visiter un parc d'attractions.

a Nous / y passer une journée entière
b Mes parents / acheter des billets pour moi et mes amis
c J'espère qu'ils / tous venir
d D'abord, on / faire le tour du parc
e Puis, nous / choisir ce qui nous plaît
f J'espère que mes amis / s'amuser bien

4 ★★★ Translate into French.
a We are going to do our exams in two months' time.
b Afterwards, I will leave school.
c First, I'm going to work in a supermarket for two months.
d Then I am going off on holiday with friends.
e In September, I am going to do A Levels.

The future tense

- Use the future tense to describe a less definite, more remote future.
- The future tense of regular verbs is formed by taking the infinitive of the verb and adding the endings from *avoir*: -ai, -as, -a, -ons, -ez, -ont. For -*re* verbs, the final -*e* is dropped before the endings are added.

    *manger → je manger**ai** → will eat*

    *choisir → tu choisir**as** → you will choose*

    *vendre→ nous vendr**ons** → we will sell*

1 ★ Match the sentence halves.

Où serez-vous dans vingt ans?

a Moi, j'

b Et toi, est-ce que tu

c Mon copain Benjamin

d Nous

e Et vous? Est-ce que vous

f Tous mes camarades de classe

1 habiteras là-bas?

2 partirez à l'étranger?

3 resterons en contact, c'est sûr.

4 habiterai aux États-Unis.

5 me contacteront, du moins je l'espère.

6 jouera sûrement dans un orchestre.

a ☐   b ☐   c ☐   d ☐   e ☐   f ☐

2 ★★ Translate the sentences from activity 1 into English.

_____

_____

_____

_____

_____

- For irregular verbs in the future tense, learn the stem and then add the usual endings.

    *avoir → aurai → j'aur**ai**, tu aur**as**, etc.*

3 ★ Copy the first person forms in the future next to the appropriate infinitives.

pourrai   aurai   verrai   devrai   saurai viendrai   serai   voudrai   ferai   irai

a avoir _____

b être _____

c aller _____

d faire _____

e devoir _____

f pouvoir _____

g savoir _____

h venir _____

i vouloir _____

j voir _____

4 ★★ Who will do what on work experience? Write out the sentences suggested by the prompts, using the future tense.

a Sara / parler aux clients

_____

b Adi / travailler sur l'ordinateur

_____

c Mathilde et Maxime / servir les clients

_____

d Kévin / servir des repas

_____

e Juliette / écrire des brochures

_____

f Samuel et Nicolas / vendre des hamburgers

_____

g Aurélie / faire des travaux manuels

_____

h David / soigner les malades

_____

5 ★★ Translate into French. There is a mix of regular and irregular verbs.

a I will have _____

b you will not be (*tu*) _____

c they will go _____

d she will not buy _____

e they will leave (*m*) _____

f I will have to _____

g he will know _____

h they will want to (*f*) _____

i you will see (*vous*) _____

j we will not wait _____

k she will do _____

l we will be able to _____

6 ★★ Fill in the gaps with the future tense of any suitable verb.

Quand je serai adulte, ...

a j' _____ à Londres.

b je _____ comme actrice, ou chanteuse.

c je _____ plein d'argent.

d je _____ riche et célèbre

e je ne _____ pas mes anciens amis!

7 ★★★ Choose verbs from one box and ideas from the other (or use your own ideas!) and write out the advantages of these people's new jobs.

Exemples: Je pourrai rencontrer plein de nouvelles personnes. Je ne devrai plus demander de l'argent à mes parents.

| pouvoir devoir être rencontrer gagner |
| avoir aller voyager faire partir |

| un bon salaire partout dans le monde |
| gagner en expérience apprendre beaucoup |
| riche des collègues sympa à l'étranger |
| un appartement à moi des choses intéressantes |

8 ★★★ Your parents want to know exactly what will be happening while they are away. Write full-sentence answers, using the prompts to help you.

Exemple: Alors, tu dormiras où? (*at home, of course*)
= Je dormirai toujours chez nous.

a Et tu inviteras des amis à coucher ici?
(*just one, at the weekend*)

b Mais, tu ne feras pas de boum?
(*I'll just have a small party*)

c Et il y aura combien de copains?
(*about 50*)

d Et vous boirez quoi?
(*I'll buy some Coke, and perhaps some beer*)

e Mais qu'est-ce que tu feras s'il y a des problèmes?
(*I'll phone you*)

f Mais si on est partis, on ne pourra pas aider.
(*OK, I'll go away for a few days myself*)

9 ★★★ Fill in the gaps with the future form of the verbs suggested.

Moi, je ne prends pas les horoscopes au sérieux. Je viens de lire qu'un jour, je (**a**) _____ (*être*) riche et que j'(**b**) _____ (*habiter*) un appartement de luxe à New York, mais je n'y crois pas! J'ai aussi lu que j'(**c**) _____ (*avoir*) plein d'enfants, mais là aussi j'ai mes doutes parce que je déteste les enfants! Pour ma copine, j'ai lu qu'elle (**d**) _____ (*aller*) habiter loin de chez elle, qu'elle ne (**e**) _____ (*se marier*) jamais et qu'elle (**f**) _____ (*avoir*) un métier prestigieux. Je sais très bien qu'elle ne veut pas ces choses-là. Mes frères sont tous les deux Cancer. Alors il paraît qu'ils (**g**) _____ (*perdre*) quelque chose d'important (oui, ça, je le crois), qu'ils (**h**) _____ (*avoir*) des problèmes de santé plutôt graves (espérons que non!) et qu'ils (**i**) _____ (*devoir*) toujours travailler très dur pour un salaire minimum. Mes frères sont tout à fait différents l'un de l'autre, donc je crois que c'est ridicule. Mais bon, on (**j**) _____ (*voir*)!

The conditional

- The conditional tense is used to explain what **would** happen.

  J'achèterais cette robe s'ils avaient ma taille.
  I would buy that dress if they had my size.

  Il n'irait jamais à la boum sans elle.
  He would never go to the party without her.

1 ★ Do the quiz, then underline all the examples of verbs in the conditional.

Es-tu bon ami/bonne amie? Que ferais-tu, si ...

a un ami devait rester chez-lui le soir d'une boum?

1 Je passerais le voir avant d'aller à la boum. ☐

2 J'irais à la boum avec d'autres amis. ☐

3 Je passerais la soirée chez lui. ☐

b une amie avait perdu tout son argent?

1 Je lui dirais que c'ést dommage. ☐

2 Je lui prêterais de l'argent. ☐

3 Je lui donnerais de l'argent. ☐

c un ami avait des difficultés avec les devoirs?

1 Je lui proposerais de faire le travail ensemble. ☐

2 Je lui conseillerais d'aller voir le prof. ☐

3 Je lui dirais qu'il est bête. ☐

d une amie avait des problèmes avec ses parents?

1 Je lui dirais que tout le monde en a. ☐

2 Je l'écouterais et je lui offrirais des conseils. ☐

3 J'en parlerais avec tout le monde. ☐

e un ami avait perdu son petit boulot?

1 Je l'inviterais au café. ☐

2 Je lui dirais qu'il a de la chance. ☐

3 Je lui dirais que moi, je ne manque pas d'argent. ☐

Solution

1 point par bonne réponse: **a**3 **b**3 **c**1 ou 2 **d**2 **e**1

5 points – tu es un(e) ami irremplaçable

4/3 points – tu es bon ami/bonne amie

2 points – tu pourrais faire plus d'efforts

1/0 points – tu as des amis? Vraiment? Ça m'étonne!

- To form the conditional tense, use the same stem as is used for the future tense and add the following endings: -ais, -ais, -ait, -ions, -iez, -aient

  je regarder**ais** I would watch
  nous ir**ions** we would go

2 ★ Find the French for the following expressions in the quiz and copy them out.

a What would you do? _____

b I'd go _____

c I'd talk _____

d I'd spend (time) _____

e I'd give _____

f I'd advise _____

3 ★★ Fill in the chart. Copy the verbs in box into the appropriate column.

je ferais   nous donnerions   il partirait   tu aurais
elles verraient   nous achèterions   ils liraient
nous irions   il voudrait   elle boirait   tu choisirais
vous seriez   elle écrirait   vous travailleriez
elles pourraient   tu devrais

Regular stem	Irregular stem

4 ★★ Translate the phrases from activity 3 into English.

- Note the translations of modal verbs in the conditional tense:

je voudrais	I would like to
je devrais	I ought to
je pourrais	I could

5 ★★ Translate into French.

a I would be _____

b you would have (*tu*) _____

c you ought to (*vous*) _____

d we would see (*nous*) _____

e we would finish (*on*) _____

f they would know (*m*) _____

g she could _____

h they would do (*f*) _____

i he would go _____

j you would say (*tu*) _____

6 ★★ Fill in the gaps with the suggested verbs. Use the conditional tense.

Si j'avais le temps, ...

a je _____ plus de devoirs. (*faire*)

b je _____ mes notes plus souvent.　(*relire*)

c j'_____ du vocabulaire régulièrement. (*apprendre*)

d j'_____ un journal en français. (*écrire*)

Si notre prof avait plus de patience, ...

e elle _____ plus lentement. (*expliquer*)

f elle nous _____ après les cours. (*aider*)

g elle _____ des cours plus intéressants. (*préparer*)

h elle _____ nos devoirs plus soigneusement. (*corriger*)

7 ★★★ Fill in the gaps with the conditional tense form of the verbs suggested in the box.

Dans un monde idéal ...

Je (**a**) _____ sans disputes avec ma famille. Mes parents (**b**) _____ toujours contents de moi, et j'(**c**) _____ de bons rapports avec ma sœur et mes deux frères. Puis, j'aurais toujours de bonnes notes au lycée, mais les devoirs n'(**d**) _____ plus. Je (**e**) _____ plein d'argent pour un petit boulot génial et mes amis (**f**) _____ toujours sortir avec moi quand j'ai du temps libre. Je (**g**) _____ mes soirées à voir des films intéressants ou à manger dans de bons restaurants.

| exister　vivre　gagner　passer |
| être　avoir　vouloir |

Dans un monde idéal, tout le monde (**h**) _____ heureux! Les enfants auraient tous assez à manger, même dans les pays pauvres, et ils (**i**) _____ tous la possibilité d'aller à l'école. Il y (**j**) _____ assez de médecins et de médicaments pour tout le monde et personne ne (**k**) _____ sans eau potable*. Nous (**l**) _____ tous écolos et nous (**m**) _____ notre mieux** pour préserver notre planète. Ah oui, la vie (**n**) _____ belle!

*drinking water　**our best

| être　être　être　avoir　avoir　vivre　faire |

8 ★★★ Translate into French on separate paper.

If they won the lottery ...

a Mohammed would stop* working.

b Alexandre and Sophie would go to America.

c Ilona would buy presents for all her friends.

d Julie would live in a luxury flat.

e Clément and Julien would not change anything.

f I would go on a world tour**.

g And you? What would you do?

*cesser de　**faire le tour du monde

Revision of the future and the conditional

- The future and conditional tenses both use the same stem of the verb, so it's important to remember which endings are needed in each case:
  - the endings for the future tense come from the present tense of the verb *avoir*: *-ai, -as, -a, -ons, -ez, ont*.
  - the endings for the conditional tense are the same as those used in the imperfect tense: *-ais, -ais, -ait, -ions, -iez, aient*.

1 ★★ **Translate into French.**

If you study French at AS Level, …

a you will learn a lot more vocabulary and grammar.

_____

b you will watch French films.

_____

c you will read some French literature.

_____

d you will be able to do an exchange.

_____

e you will enjoy yourself!

_____

If you studied French at university …

f you would talk fluently*

_____

g you would spend a year in France.

_____

h you would write without errors.**

_____

i you would perhaps learn another language too.

_____

_____

j you would be able to teach*** French.

_____

*couramment **fautes ***enseigner

2 ★★★ **Translate into French.**

If I get the part-time job …

a I won't have much free time.

b I will earn lots of money.

c I will have to get up early on Saturdays.

If I were fit …

d I would be able to run ten kilometres.

e I would be less tired.

f I could play in the hockey team.

3 ★★ **Fill in the gaps with the future tense of a verb from the box.**

Si tu fais des études de médecine …

a tu _____ travailler dur.

b tu _____ des choses fascinantes.

c tu _____ étudiant pendant six ans.

d tu _____ des stages dans un hôpital.

e tu _____ aider beaucoup de gens.

faire   être   pouvoir   devoir   apprendre

4 ★★ **Complete the responses to the statements in activity 3 by filling in the gaps with an appropriate verb from the box and putting it into the conditional tense.**

a Ah oui, je _____ nuit et jour!

b Oui, mais ce _____ peut-être difficile.

c Oui, et je ne _____ pas d'argent!

d Oui, cela _____ pendant la deuxième année.

e C'est vrai, et cela me _____.

gagner   plaire*   étudier   être   commencer

*to please

Si clauses

- In French, there is a definite pattern of tenses used with *si* clauses. If the *si* clause has a present tense in it, then the clause which depends on it will have a future tense:

    Si j'ai assez d'argent, j'achèterai cet iPod.
    If I have enough money, I will buy that iPod.
    Si mes parents me donnent de l'argent, j'irai au concert.
    If my parents give me some money, I will go to the concert.

1 ★ **Match up the sentence halves. Then underline the verbs in two colours:**

– blue for those in the present tense;
- red for those in the future tense.

a Si je fais des économies,

b Si je fais des recherches sur Internet,

c Deux copains m'accompagneront,

d On fera du camping,

e Si le camping a une piscine,

f S'il fait beau,

1 je pourrai choisir une destination idéale.

2 si on peut emprunter* une tente.

3 ce sera formidable.

4 je partirai seule en vacances l'année prochaine.

5 si leurs parents sont d'accord.

6 on se baignera tous les jours.

*to borrow

a ☐ b ☐ c ☐ d ☐ e ☐ f ☐

2 ★★ **Write a future tense ending for each sentence.**

a Si j'ai le temps, je _____

b Si j'ai assez d'argent, je _____

c S'il fait beau aujourd'hui, je _____

d Si tu viens me voir, on _____

e Si on va en ville aujourd'hui, on _____

3 ★★★ **Translate into French.**

a If you have time, will you buy the present?

b If I can, I will go to the bank.

c If I go to the post office, I will buy some stamps.

- If the *si* clause has an imperfect tense in it, then the clause which depends on it will have a conditional tense:

    Si j'avais assez d'argent, j'achèterais cet iPod.
    If I had enough money, I would buy that iPod.
    Si mes parents me donnaient de l'argent, j'irais au concert.
    If my parents gave me some money, I would go to the concert.

4 ★★ **Translate into English.**

a Si j'avais le temps, je viendrais te voir.

b Si tu n'étais pas malade, on pourrait sortir.

c Si tu allais chez le médecin, il pourrait t'aider.

d Si tu ne pouvais pas sortir le week-end, nous resterions chez nous.

e Si tu allais mieux lundi, on pourrait sortir.

5 ★★★ **Write a suitable ending in the conditional tense for each sentence.**

a Si j'avais plus de confiance en moi, je ...

b Si je ne devais pas faire de baby-sitting ce soir, je ...

c Si j'étais riche, je ...

d Si j'habitais à Paris, je ...

e Si j'avais un avion privé, je ...

Two-verb constructions

TIP

- In two-verb constructions, the second verb is in the infinitive. Some verbs are followed just by an infinitive: *Tu **dois arriver** à l'heure.* These verbs include *devoir, pouvoir, vouloir, aimer, détester* and *préférer.*

1 ★★ Use the suggested verbs to fill in the gaps. Think about which ones need to be in the infinitive.

Exemple: J'_____ bien _____au cinéma.
(*aimer/aller*) = J'<u>aime</u> bien <u>aller</u> au cinéma.

a _____-tu _____ le film ce soir?
(*vouloir/voir*)

b Ou _____-tu y _____ demain soir?
(*préférer/aller*)

c _____-tu _____ les billets?
(*pouvoir/réserver*)

d Moi, je ne peux pas, parce que je _____

_____ (*devoir/travailler*)

e Et je _____ _____ la queue avant le film! (*détester/faire*)

TIP

- Some verbs are followed by the preposition *à* plus an infinitive: *Tu **apprends à** cuisiner?*
  These verbs include *apprendre à, commencer à, continuer à, inviter à* and *hésiter à.*

2 ★★ Fill in the gaps with the verbs from the box below, using the prompts in brackets. Then translate into English.

a Tu _____ donc _____ parler chinois? (*learn*)

b Moi aussi, je _____ apprendre une nouvelle langue. (*start*)

c Mais je _____ aussi _____ apprendre le français! (*continue*)

d N'_____ pas _____ visiter la Chine. (*hesitate*)

e Tu m'_____ venir avec toi? (*invite*)

> commence à   hésite à   invites à
> apprends à   continue à

TIP

- Some verbs are followed by the preposition *de* plus an infinitive: *Qu'est-ce que tu as **décidé de faire**?*
  These verbs include *décider de, essayer de, finir de, oublier de, refuser de* and *arrêter de.*

3 ★★★ Translate into French.

a I decided to buy a bike.

b I try to cycle every day.

c Don't forget to wear a helmet*!

d Romain refuses to cycle.

e But he has stopped wasting** petrol.

*une casque   **gaspiller

TIP

- *Venir de* + an infinitive means 'to have just done something'. It is followed by a verb in the infinitive:
  *Je **viens de rentrer** chez moi.*
  I have just come home.

4 ★★ Translate into English.

a Qu'est-ce que tu viens de faire?

b Je viens de télécharger un film.

c Et Florian? Il vient de consulter Facebook?

d Non, il vient d'écrire des messages sur MSN.

e Moi, je viens d'acheter un nouvel ordinateur.

5 ★★ Add in the preposition *à* or *de* where it is needed. Sometimes neither is needed!

a J'ai complètement oublié _____ finir mes devoirs.

b Lucas n'a pas appris _____ faire cet exercice.

c Il a dû _____ aller au cours supplémentaire.

d Elle a refusé _____ aller voir le prof.

e Il a continué _____ crier en classe.

f Le prof a voulu _____ lui parler.

g Mais il a préféré _____ partir tout de suite.

h Pourquoi n'as-tu pas fini _____ lire ce livre?

The passive and the subjunctive

The passive

- Most sentences are active, i.e. sentences where the subject of the verb does the action.

  Le prof organise la visite.
  The teacher is organising the visit.

  But some sentences are passive, i.e. sentences where the subject of the verb has something done to it.

  La visite est organisée par le prof.
  The visit is organised by the teacher.

  You do not need to use the passive, you need only to recognise and understand it.

  It is formed using part of the verb *être* and a past participle.

1 ★★ **Translate into English.**

a Le bus est réservé par le prof.

_____

b Les enfants sont surveillés par trois parents.

_____

c L'histoire de la ville est expliquée par un guide.

_____

d Des souvenirs sont vendus dans le magasin.

_____

- The passive can be used in lots of different tenses, by changing the tense of *être*.

  *La visite **a été** organisée par …*
  The visit **was** organised by …

  *La visite **sera organisée** par …*
  The visit **will be organised** by …

2 ★★★ **Translate into English.**

a Les bouteilles seront recyclées.

b La pollution de l'air est mesurée.

c Ce vélo a été remis en état.

d Les lumières étaient éteintes.

The subjunctive

- You need to recognise the subjunctive, but you need not use it yourself.

  The subjunctive is needed after *il faut que* and after expressions of doubt such as *je ne crois pas que, je doute que* and *je ne suis pas sûr que*.

  Il faut qu'on soit à l'heure.
  We should be on time.

  Je ne crois pas que ce soit une bonne idée.
  I don't think that is a good idea.

- The subjunctive is also needed after certain phrases expressing emotion, such as: *préférer que, regretter que, avoir peur que* and *être content que*.

- Sometimes, the verb may look the same in the subjunctive as it usually does:

  Ils prennent longtemps.
  They are taking so long!

  *Je regrette qu'ils **prennent** si longtemps.*
  I regret that they are taking so long.

  But sometimes the subjunctive form looks different:

  Il prend longtemps.
  *Je regrette qu'il **prenne** si longtemps.*

3 ★★★ **Underline the phrase in each sentence which needs the subjunctive and circle the verb which is in the subjunctive.**

a Il faut que tu viennes!

b Je ne suis pas sûr qu'elle arrive à l'heure.

c J'ai peur qu'il soit trop tard.

d Je suis content que mes copains prennent leur temps.

e Je doute que tu aies raison.

f Je ne crois pas qu'il le fasse.

g Je préfère que ce soit toi!

h Je regrette que les enfants ne comprennent pas.

4 ★★★ **Translate the sentences from activity 3 into English.**

Revision of whole book: nouns, adjectives and adverbs

1 ★★ Complete the following passage with *le, la, l', les, un, une, de, d'* or *des* as appropriate.

Tous _____ enfants adorent _____

dessins animés et _____ Simpson sont

populaires partout dans _____ monde.

_____ père _____ famille, Homer, travaille

dans _____ centrale nucléaire. Il mange trop

_____ beignets et il boit beaucoup _____

bière. _____ mère, Marge, a _____

cheveux bleus et c'est elle qui organise toute

_____ famille. _____ fille aînée, Lisa,

travaille bien à _____ école et a toujours

_____ bonnes notes, mais _____ fils,

Bart, fait souvent _____ bêtises. Il agace

_____ professeurs, et il n'a pas peur

_____ directeur. _____ famille a aussi

_____ bébé, Maggie, et _____ chien.

2 ★★ Complete the following descriptions with the correct form of the adjectives in the boxes.

a Shrek est un _____ ogre

_____ qui aime vivre dans les

_____ marécages _____,

et qui épouse sa _____ princesse

_____.

```
pestilentiel   vieux   vert
adorable   cher   gentil
```

b Dans le _____ pays _____

de Narnia, on trouve de _____ animaux

_____ et de _____

créatures _____.

```
mythique   enchanté   beau
merveilleux   beau   parlant
```

c Astérix est un _____ guerrier

_____, qui se bat contre les

_____ armées _____

avec son _____ ami, Obélix, qui est très

_____, grâce à une _____

potion _____.

```
romain   vieux   grand   magique
courageux   meilleur   fort   petit
```

3 ★★ Complete the following sentences with the French translation of the adverbial phrases in the brackets.

a Je regarde_____
la télévision. (*fairly often*)

b Nous nous entraînons _____
_____ (*more and more seriously*)

c Il parle _____
(*much too quietly*)

d Mon copain cuisine _____
(*extremely well*)

e En ce moment, la France joue _____
(*worse*) que l'Allemagne, mais c'est l'Angleterre qui
joue _____ (*worst*)

4 ★★★ Rewrite the following sentences, adding adjectives and adverbs to make them more interesting.

a Dans le centre-ville, il y a des magasins. _____

_____

b Il y a un marché devant la cathédrale. _____

_____

c Sur la place il y a des monuments. _____

_____

d Les touristes y trouvent des restaurants. _____

_____

e La ville a un théâtre, deux cinémas et une piscine.

_____

_____

Revision of whole book: pronouns, prepositions and conjunctions

1 ★★ Write out the second sentence in each pair replacing the nouns in bold with pronouns. Remember to add agreements if there is a preceding direct object in the perfect tense.

a J'ai un oncle au Sénégal. Je vois rarement **mon oncle**.

_____

b Nos avons regardé ce film en classe. J'ai trouvé **le film** très intéressant.

_____

c J'aime ces chaussures. J'ai acheté **les chaussures** hier.

_____

d Mes amis sont à la plage. J'espère voir **mes amis à la plage**.

_____

e Avez-vous goûté les huitres? J'ai mangé six **huitres**.

_____

f Leur grand-mère voulait voir la photo. Ils ont envoyé **la photo à leur grand-mère**.

_____

g J'ai offert du coca à mes amis. J'avais trop **de coca**.

_____

h Ses parents étaient inquiets. Elle a téléphoné **à ses parents**.

_____

2 ★★ Fill in the gaps in the following passages with the correct form of _à_ or _de_, plus article as appropriate.

a Je joue _____ violon dans l'orchestre _____ collège, et _____ Pâques, nous sommes allés _____ Amsterdam _____ Pays-Bas. Nous sommes partis _____ école _____ bonne heure, et tout le monde était _____ bonne humeur. Nous sommes arrivés _____ Amsterdam _____ dix heures _____ soir, et nous sommes allés _____ hôtel. Ma chambre était _____ huitième étage, et j'avais une belle vue _____ vieux monuments et _____ rivière.

b Je joue _____ snooker et _____ mon avis, je suis la star _____ équipe! On m'a interviewé _____ radio et _____ télévision et je reçois beaucoup _____ lettres et _____ cadeaux _____ mes fans. Je téléphone souvent _____ reporters et je vois toujours une foule _____ photographes dans le parc en face _____ la maison.

3 ★★★ Complete the following sentences with the prepositional phrases suggested in brackets.

a Samedi dernier, je me suis levée (_at about 11 o'clock, as usual_) _____

b _____ j'ai regardé la télévision (_after breakfast, until one o'clock_) _____

c _____ je suis allée (_in the afternoon, into town, with my friends_) _____

d Nous avons fait du shopping (_in the town centre, for three hours_) _____

e _____ nous sommes allées (_afterwards, to the café opposite the library_) _____

f _____ je suis rentrée (_at six o'clock, to my house, by bus_) _____

4 ★★ Link the following pairs of sentences with a suitable conjunction.

a J'ai beaucoup aimé le film. Les effets spéciaux étaient excellents.

b J'aime aller au théâtre. Ça coûte cher.

c Il a plu toute la nuit. Le festival était super.

d Tout le monde adore ce livre. Je trouve les personnages caricaturaux.

e Les auditeurs se sont plaints. La musique était trop forte.

5 ★★★ Translate the following sentences into French.

a He lived in Japan for two years, where he worked in a tourist office.

b The president's wife comes from the north of Italy.

c At the weekend we play the guitar or play football in the park.

Revision of verbs

1 ★★ Translate each phrase into English.

a je peux _____

b il a vu _____

c nous achetions _____

d elles vont lire _____

e vous aurez _____

f je suis tombé _____

g nous regarderions _____

h elle donne _____

i tu avais écouté _____

j il a bu _____

k ils arriveront _____

l elles étaient _____

m tu vas expliquer _____

n je pourrais _____

o vous finissez _____

p nous avons dit _____

q je faisais _____

r elles sont arrivées _____

s il devrait _____

t tu joueras _____

u vous étiez allé _____

v je vais sortir _____

w nous allons _____

x tu es parti _____

y ils voulaient _____

2 ★★ Circle the correct verbs in this passage, which is mainly in the past tense.

L'été dernier, nous (**a**) passons / avons passé trois jours formidables à un festival de musique. Nous (**b**) arrivons / sommes arrivés tôt le premier matin pour choisir un bon emplacement pour notre tente. La veille* nous (**c**) avons acheté / avions acheté des provisions et on (**d**) pouvait / pourra aussi acheter de quoi manger au festival. Nous (**e**) dormirons / avons un peu dormi dans la tente, puis nous (**f**) avions préparé / avons préparé un repas. Vers quatre heures, la musique (**g**) commence / a commencé. On (**h**) allait / est allés écouter trois groupes différents et on (**i**) a rentrés / est rentrés à la tente vers minuit. Ce jour-là il (**j**) faisait / fait beau, mais pas trop chaud, mais le lendemain le soleil (**k**) a brillé / brillait très fort et on (**l**) doit / a dû mettre de la crème solaire et porter des lunettes de soleil. J'ai acheté un chapeau de paille**, parce que (**m**) j'avais oublié / j'ai oublié le mien***. On (**n**) a passé / passera toute la journée à écouter des groupes et c'(**o**) était / est formidable. Malheureusement, le dernier jour il (**p**) commence / a commencé à pleuvoir. J'(**q**) achèterai / j'ai acheté des bottes, puis j'ai continué à m'amuser! C'était ma première fois à un festival et je ne l'(**r**) oublierai / oublie jamais.

*the day before   **straw   ***mine

3 ★★★ Translate into French.

a We went to a music festival last summer.

_____

_____

b We took a tent and some groceries.

_____

c The music was fantastic.

_____

d But the weather wasn't always nice.

_____

e I will go to another festival next year.

_____

4 ★★ Revise the *en* + present participle construction by writing your own endings for these sentences.

a On peut économiser en …

b On peut prendre des vacances vertes en …

c On peut réviser pour les examens en …

d On peut aider ses parents en …

e On peut être bon ami en …

5 ★★ Revise the negative by rewriting these sentences, using the negative suggested in brackets.

a Je veux aller au collège aujourd'hui.(*pas*)

b Je suis allé au match hier. (*pas*)

c J'ai fait des erreurs. (*jamais*)

d Tu vas au concert? (*plus*)

e Il a beaucoup mangé. (*rien*)

6 ★★★ Revise two-verb constructions by filling in the gaps. Remember, some verbs will need a preposition after them and others will need to be in the infinitive.

a Tu _____ travailler à quelle heure? (*start*)

b Est-ce que tu aimes _____ là? (*work*)

c Tu as _____ faire quel métier? (*decided*)

e Pourquoi _____-tu faire cela? (*want*)

e N'_____ laver ton uniforme! (*forget*)

f Tu _____ russe? (*learn/speak*)

7 ★★★ Revise the passive by translating these sentences into English.

a Le repas a été préparé par un nouveau chef de cuisine.

b La soupe est garnie de persil*.   *parsley

c La viande est cuite dans une sauce.

d Les boissons sont servies fraîches.

e Les tables sont décorées avec des fleurs.

8 ★★★ Revise everything by translating these phrases into French.

1 I do _____

2 we have had (*perf*) _____

3 you will work (*tu*) _____

4 they are going to play _____

5 we had finished (*on*) _____

6 he will go _____

7 I was _____

8 you decide (*vous*) _____

9 they wanted (*imp*) _____

10 you would read (*tu*) _____

11 she doesn't understand _____

12 we never drank (*imp*) _____

13 he is going to watch _____

14 you have learned (*vous*) _____

15 we were living (*on*) _____

16 I will get up _____

17 they have left _____

18 she sleeps _____

19 you could (*vous*) _____

20 I can see _____

21 you shouldn't (*tu*) _____

22 we started (*perf*) _____

23 she doesn't think _____

24 they must _____

25 you got dressed (*tu*) (*perf*) _____

26 I will forget _____

27 he is going to put _____

28 we hurried (*perf*) _____

29 she has opened _____

30 they don't finish _____

31 you will laugh (*tu*) _____

32 we leaves (*on*) _____

33 I had written _____

34 we don't say _____

35 you know (*vous*) _____

Verb tables

Infinitive		Present	Perfect	Future	Conditional	Subjunctive
-er verbs						
parler *to speak*	je/j'	parle	ai parlé	parlerai	parlerais	parle *etc.*
	tu	parles	as parlé	parleras	parlerais	
	il/elle/on	parle	a parlé	parlera	parlerait	
	nous	parlons	avons parlé	parlerons	parlerions	
	vous	parlez	avez parlé	parlerez	parleriez	
	ils/elles	parlent	ont parlé	parleront	parleraient	
-ir verbs						
finir *to finish*	je/j'	finis	ai fini	finirai	finirais	finisse *etc.*
	tu	finis	as fini	finiras	finirais	
	il/elle/on	finit	a fini	finira	finirait	
	nous	finissons	avons fini	finirons	finirions	
	vous	finissez	avez fini	finirez	finiriez	
	ils/elles	finissent	ont fini	finiront	finiraient	
-re verbs						
répondre *to answer*	je/j'	réponds	ai répondu	répondrai	répondrais	réponde *etc.*
	tu	réponds	as répondu	répondras	répondrais	
	il/elle/on	répond	a répondu	répondra	répondrait	
	nous	répondons	avons répondu	répondrons	répondrions	
	vous	répondez	avez répondu	répondrez	répondriez	
	ils/elles	répondent	ont répondu	répondront	répondraient	
aller *to go*	je/j'	vais	suis allé(e)	irai	irais	aille *etc.*
	tu	vas	es allé(e)	iras	irais	
	il/elle/on	va	est allé(e)(s)	ira	irait	
	nous	allons	sommes allé(e)s*	irons	irions	
	vous	allez	êtes allé(e)(s)	irez	iriez	
	ils/elles	vont	sont allé(e)s	iront	iraient	
avoir *to have*	je/j'	ai	ai eu	aurai	aurais	aie *etc.*
	tu	as	as eu	auras	aurais	
	il/elle/on	a	a eu	aura	aurait	
	nous	avons	avons eu	aurons	aurions	
	vous	avez	avez eu	aurez	auriez	
	ils/elles	ont	ont eu	auront	auraient	
battre *to beat*	je/j'	bats	ai battu	battrai	battrais	batte *etc.*
	tu	bats	as battu	battras	battrais	
	il/elle/on	bat	a battu	battra	battrait	
	nous	battons	avons battu	battrons	battrions	
	vous	battez	avez battu	battrez	battriez	
	ils/elles	battent	ont battu	battront	battraient	
boire *to drink*	je/j'	bois	ai bu	boirai	boirais	boive *etc.*
	tu	bois	as bu	boiras	boirais	
	il/elle/on	boit	a bu	boira	boirait	
	nous	buvons	avons bu	boirons	boirions	
	vous	buvez	avez bu	boirez	boiriez	
	ils/elles	boivent	ont bu	boiront	boiraient	

* With verbs which take the auxiliary *être* in the perfect tense, the past participle agrees with *on*, which is used to replace *nous*.

Infinitive		Present	Perfect	Future	Conditional	Subjunctive
comprendre *to understand*	je/j'	*see* **prendre** comprends	ai compris	comprendrai	comprendrais	comprenne
conduire *to drive*	je/j'	conduis	ai conduit	conduirai	conduirais	conduise *etc.*
	tu	conduis	as conduit	conduiras	conduirais	
	il/elle/on	conduit	a conduit	conduira	conduirait	
	nous	conduisons	avons conduit	conduirons	conduirions	
	vous	conduisez	avez conduit	conduirez	conduiriez	
	ils/elles	conduisent	ont conduit	conduiront	conduiraient	
connaître *to know*	je/j'	connais	ai connu	connaîtrai	connaîtrais	connaisse *etc.*
	tu	connais	as connu	connaîtras	connaîtrais	
	il/elle/on	connait	a connu	connaîtra	connaîtrait	
	nous	connaissons	avons connu	connaîtrons	connaîtrions	
	vous	connaissez	avez connu	connaîtrez	connaîtriez	
	ils/elles	connaissent	ont connu	connaîtront	connaîtraient	
craindre *to fear*	je/j'	crains	ai craint	craindrai	craindrais	craigne *etc.*
	tu	crains	as craint	craindras	craindrais	
	il/elle/on	craint	a craint	craindra	craindrait	
	nous	craignons	avons craint	craindrons	craindrions	
	vous	craignez	avez craint	craindrez	craindriez	
	ils/elles	craignent	ont craint	craindront	craindraient	
croire *to believe*	je/j'	*see* **voir** crois	ai cru	croirai	croirais	croie
devoir *to have to/ must*	je/j'	dois	ai dû	devrai	devrais	doive *etc.*
	tu	dois	as dû	devras	devrais	
	il/elle/on	doit	a dû	devra	devrait	
	nous	devons	avons dû	devrons	devrions	
	vous	devez	avez dû	devrez	devriez	
	ils/elles	doivent	ont dû	devront	devraient	
dire *to say*	je/j'	dis	ai dit	dirai	dirais	dise *etc*
	tu	dis	as dit	diras	dirais	
	il/elle/on	dit	a dit	dira	dirait	
	nous	disons	avons dit	dirons	dirions	
	vous	dites	avez dit	direz	diriez	
	ils/elles	disent	ont dit	diront	diraient	
dormir *to sleep*	je/j'	dors	ai dormi	dormirai	dormirais	dorme *etc.*
	tu	dors	as dormi	dormiras	dormirais	
	il/elle/on	dort	a dormi	dormira	dormirait	
	nous	dormons	avons dormi	dormirons	dormirions	
	vous	dormez	avez dormi	dormirez	dormiriez	
	ils/elles	dorment	ont dormi	dormiront	dormiraient	
écrire *to write*	je/j'	écris	ai écrit	écrirai	écrirais	écrive *etc.*
	tu	écris	as écrit	écriras	écrirais	
	il/elle/on	écrit	a écrit	écrira	écrirait	
	nous	écrivons	avons écrit	écrirons	écririons	
	vous	écrivez	avez écrit	écrirez	écririez	
	ils/elles	écrivent	ont écrit	écriront	écriraient	

Infinitive		Present	Perfect	Future	Conditional	Subjunctive
être *to be*	je/j'	suis	ai été	serai	serais	sois *etc.*
	tu	es	as été	seras	serais	
	il/elle/on	est	a été	sera	serait	
	nous	sommes	avons été	serons	serions	
	vous	êtes	avez été	serez	seriez	
	ils/elles	sont	ont été	seront	seraient	
faire *to do/make*	je/j'	fais	ai fait	ferai	ferais	fasse *etc.*
	tu	fais	as fait	feras	ferais	
	il/elle/on	fait	a fait	fera	ferait	
	nous	faisons	avons fait	ferons	ferions	
	vous	faites	avez fait	ferez	feriez	
	ils/elles	font	ont fait	feront	feraient	
falloir *to be* *necessary*	il	faut	a fallu	faudra	faudrait	faille
se lever *to get up*	je/j'	me lève	me suis levé(e)	me lèverai	me lèverais	me lève *etc.*
	tu	te lèves	t'es levé(e)	te lèveras	te lèverais	
	il/elle/on	se lève	s'est levé(e)(s)*	se lèvera	se lèverait	
	nous	nous levons	nous sommes levé(e)s	nous lèverons	nous lèverions	
	vous	vous levez	vous êtes levé(e)(s)	vous lèverez	vous lèveriez	
	ils/elles	se lèvent	se sont levé(e)s	se lèveront	se lèveraient	
lire *to read*	je/j'	lis	ai lu	lirai	lirais	lise *etc.*
	tu	lis	as lu	liras	lirais	
	il/elle/on	lit	a lu	lira	lirait	
	nous	lisons	avons lu	lirons	lirions	
	vous	lisez	avez lu	lirez	liriez	
	ils/elles	lisent	ont lu	liront	liraient	
mettre *to put*	je/j'	mets	ai mis	mettrai	mettrais	mette *etc.*
	tu	mets	as mis	mettras	mettrais	
	il/elle/on	met	a mis	mettra	mettrait	
	nous	mettons	avons mis	mettrons	mettrions	
	vous	mettez	avez mis	mettrez	mettriez	
	ils/elles	mettent	ont mis	mettront	mettraient	
mourir *to die*	je/j'	meurs	suis mort(e)	mourrai	mourrais	meure *etc.*
	tu	meurs	es mort(e)	mourras	mourrais	
	il/elle/on	meurt	est mort(e)(s)*	mourra	mourrait	
	nous	mourons	sommes mort(e)s	mourrons	mourrions	
	vous	mourez	êtes mort(e)(s)	mourrez	mourriez	
	ils/elles	meurent	sont mort(e)s	mourront	mourraient	

* With verbs which take the auxiliary **être** in the perfect tense, the past participle agrees with **on**, which is used to replace **nous**.

Infinitive		Present	Perfect	Future	Conditional	Subjunctive
naître *to be born*	je/j'	nais	suis né(e)	naîtrai	naîtrais	naisse *etc.*
	tu	nais	es né(e)	naîtras	naîtrais	
	il/elle/on	nait	est né(e)(s)*	naîtra	naîtrait	
	nous	naissons	sommes né(e)s	naîtrons	naîtrions	
	vous	naissez	êtes né(e)(s)	naîtrez	naîtriez	
	ils/elles	naissent	sont né(e)s	naîtront	naîtraient	
ouvrir *to open*	je/j'	ouvre	ai ouvert	ouvrirai	ouvrirais	ouvre *etc.*
	tu	ouvres	as ouvert	ouvriras	ouvrirais	
	il/elle/on	ouvre	a ouvert	ouvrira	ouvrirait	
	nous	ouvrons	avons ouvert	ouvrirons	ouvririons	
	vous	ouvrez	avez ouvert	ouvrirez	ouvririez	
	ils/elles	ouvrent	ont ouvert	ouvriront	ouvriraient	
paraître *to appear*		*see* **connaître**				
	je/j'	parais	ai paru	paraîtrai	paraîtrais	paraisse
partir *to leave*		*see* **sentir**, *but with* **être** *in compound tenses*				
	je/j'	pars	suis parti(e)	partirai	partirais	parte
pleuvoir *to rain*	il	pleut	a plu	pleuvra	pleuvrait	pleuve
pouvoir *to be able/can*	je/j'	peux	ai pu	pourrai	pourrais	puisse *etc.*
	tu	peux	as pu	pourras	pourrais	
	il/elle/on	peut	a pu	pourra	pourrait	
	nous	pouvons	avons pu	pourrons	pourrions	
	vous	pouvez	avez pu	pourrez	pourriez	
	ils/elles	peuvent	ont pu	pourront	pourraient	
prendre *to take*	je/j'	prends	ai pris	prendrai	prendrais	prenne *etc.*
	tu	prends	as pris	prendras	prendrais	
	il/elle/on	prend	a pris	prendra	prendrait	
	nous	prenons	avons pris	prendrons	prendrions	
	vous	prenez	avez pris	prendrez	prendriez	
	ils/elles	prennent	ont pris	prendront	prendraient	
recevoir *to receive*	je/j'	reçois	ai reçu	recevrai	recevrais	reçoive *etc.*
	tu	reçois	as reçu	recevras	recevrais	
	il/elle/on	reçoit	a reçu	recevra	recevrait	
	nous	recevons	avons reçu	recevrons	recevrions	
	vous	recevez	avez reçu	recevrez	recevriez	
	ils/elles	reçoivent	ont reçu	recevront	recevraient	
rire *to laugh*	je/j'	ris	ai ri	rirai	rirais	rie *etc.*
	tu	ris	as ri	riras	rirais	
	il/elle/on	rit	a ri	rira	rirait	
	nous	rions	avons ri	rirons	ririons	
	vous	riez	avez ri	rirez	ririez	
	ils/elles	rient	ont ri	riront	riraient	

* With verbs which take the auxiliary **être** in the perfect tense, the past participle agrees with **on**, which is used to replace **nous**.

Infinitive		Present	Perfect	Future	Conditional	Subjunctive
savoir *to know*	je/j'	sais	ai su	saurai	saurais	sache *etc.*
	tu	sais	as su	sauras	saurais	
	il/elle/on	sait	a su	saura	saurait	
	nous	savons	avons su	saurons	saurions	
	vous	savez	avez su	saurez	sauriez	
	ils/elles	savent	ont su	sauront	sauraient	
sentir *to feel*	je/j'	sens	ai senti	sentirai	sentirais	sente *etc.*
	tu	sens	as senti	sentiras	sentirais	
	il/elle/on	sent	a senti	sentira	sentirait	
	nous	sentons	avons senti	sentirons	sentirions	
	vous	sentez	avez senti	sentirez	sentiriez	
	ils/elles	sentent	ont senti	sentiront	sentiraient	
tenir *to hold*		*see **venir**, but with **avoir** in compound tenses*				
	je/j'	tiens	ai tenu	tiendrai	tiendrais	tienne
venir *to come*	je/j'	viens	suis venu(e)	viendrai	viendrais	vienne *etc.*
	tu	viens	es venu(e)	viendras	viendrais	
	il/elle/on	vient	est venu(e)(s)*	viendra	viendrait	
	nous	venons	sommes venu(e)s	viendrons	viendrions	
	vous	venez	êtes venu(e)(s)	viendrez	viendriez	
	ils/elles	viennent	sont venu(e)s	viendront	viendraient	
vivre *to live*		*see **écrire***	*past participle:* veçu			
	je/j'	vis	ai vécu	vivrai	vivrais	vive
voir *to see*	je/j'	vois	ai vu	verrai	verrais	voie *etc.*
	tu	vois	as vu	verras	verrais	
	il/elle/on	voit	a vu	verra	verrait	
	nous	voyons	avons vu	verrons	verrions	
	vous	voyez	avez vu	verrez	verriez	
	ils/elles	voient	ont vu	verront	verraient	
vouloir *to want*	je/j'	veux	ai voulu	voudrai	voudrais	veuille *etc.*
	tu	veux	as voulu	voudras	voudrais	
	il/elle/on	veut	a voulu	voudra	voudrait	
	nous	voulons	avons voulu	voudrons	voudrions	
	vous	voulez	avez voulu	voudrez	voudriez	
	ils/elles	veulent	ont voulu	voudront	voudraient	

* With verbs which take the auxiliary ***être*** in the perfect tense, the past participle agrees with ***on***, which is used to replace ***nous***.

The imperfect tense

Most verbs form the imperfect tense in the following way:

faire nous fais~~ons~~ fais-

faire			
je	**faisais**	nous	**faisions**
tu	**faisais**	vous	**faisiez**
il/elle/on	**faisait**	ils/elles	**faisaient**

Main exception = être:

être			
j'	**étais**	nous	**étions**
tu	**étais**	vous	**étiez**
il/elle/on	**était**	ils/elles	**étaient**